# Enlèvement au Club des Cinq

Enid Blyton™

# Enlèvement au Club des Cinq

*Illustrations*
Frédéric Rébéna

HACHETTE
*Jeunesse*

## Claude

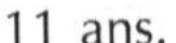

11 ans.
Leur cousine. Avec son fidèle chien Dagobert, elle est de toutes les aventures.
En vrai garçon manqué, elle est imbattable dans tous les sports et elle ne pleure jamais... ou presque !

## François

12 ans
L'aîné des enfants,
le plus raisonnable aussi.
Grâce à son redoutable sens de l'orientation, il peut explorer n'importe quel souterrain sans jamais se perdre !

## Mick

11 ans comme Claude.
C'est un casse-cou (un gourmand aussi !) qui n'hésite jamais avant de se lancer dans les plus périlleuses aventures...

## Annie

10 ans
La plus jeune, un peu gaffeuse, un peu froussarde !
Mais elle finit toujours par participer aux enquêtes, même quand il faut affronter de dangereux malfaiteurs...

## Dagobert

Sans lui, le Club des Cinq ne serait rien !
C'est un compagnon hors pair, qui peut monter la garde et effrayer les bandits.
Mais surtout c'est le plus attachant des chiens...

L'édition originale de cet ouvrage a paru en langue anglaise
chez HODDER & STOUGHTON, Londres, sous le titre :

*FIVE HAVE PLENTY OF FUN*


Traduction revue par Rosalind Elland-Goldsmith.



Hachette Livre, 43 quai de Grenelle, 75015 Paris.

*chapitre 1*

# À la Villa des Mouettes

— J'ai l'impression d'être à Kernach depuis un mois, déclare Annie, en s'étirant paresseusement sur le sable de la plage. Pourtant, on est arrivés seulement hier !

— Oui, confirme son frère Mick. On se sent tout de suite à l'aise ici. Tu n'es pas d'accord, François ?

— Si, bien sûr ! Et quel temps magnifique ! ajoute l'aîné du groupe. Espérons que le soleil continuera encore à briller comme ça et qu'on aura de chouettes vacances...

Il roule sur lui-même pour échapper à Dagobert, qui pose la patte sur son bras.

— Dago, tu es infatigable ! On s'est baignés, on a couru et joué à la balle, ça suffit

pour le moment. Laisse-moi me reposer. Si tu as toujours de l'énergie à dépenser, va t'amuser avec les crabes !

— Ouah ! fait le chien en secouant la tête d'un air dégoûté.

Puis il dresse l'oreille, car il vient d'entendre un bruit familier.

— Qui veut une glace ? Voilà le marchand ! annonce Annie.

— Moi ! répondent les autres en chœur.

La fillette prend l'argent que chacun lui tend et revient bientôt avec cinq cornets.

— Il n'y a rien de plus agréable que de manger une bonne glace, étendu sur le sable chaud, affirme Mick. Quelle joie de penser qu'il nous reste encore trois semaines de vacances !

Sa sœur lui envoie un regard réprobateur.

— Tu veux dire : « Quel dommage qu'il ne nous reste plus que trois semaines de vacances ! »

— C'est vrai ! Enfin, profitons-en. Ici, quand il y a du soleil, c'est le paradis sur terre ! Mais c'est dommage que l'oncle Henri reçoive aujourd'hui des visiteurs

importants. Tu les connais, Claude ? Ils viennent travailler avec ton père sur une récente découverte, c'est ça ?

— Je ne sais pas... répond sa cousine en haussant mollement les épaules. Oh ! Dago, tu as avalé ta glace d'un seul coup, gros glouton ! Tu vas te rendre malade.

— Quand arrivent les invités ? interroge François.

— Vers midi, poursuit la jeune fille. Ils viennent déjeuner. Mais, heureusement pour nous, papa a dit qu'il ne voulait pas d'une ribambelle d'enfants autour de lui pendant ce repas. Alors maman demande qu'on dise simplement « Bonjour » aux deux savants ; ensuite, on pourra aller pique-niquer.

— Super ! s'exclament ses cousins.

— Les amis de ton père sont des scientifiques comme lui ? questionne Annie.

— Oui. Papa travaille actuellement à la réalisation d'un projet extraordinaire. D'après ce qu'il m'a raconté, l'un des convives est un ingénieur qui a eu une idée absolument originale...

— Quelle idée ? demande l'aîné du

groupe. Une fusée pour emmener des touristes dans la lune ?

— Non, malheureusement. C'est une invention qui doit permettre aux voitures de rouler sans polluer, explique Claude. Une nouvelle source d'énergie qui remplacerait le pétrole. J'ai entendu papa en parler, il est très enthousiaste ! Il dit que cette découverte pourrait être une vraie révolution...

— Waouh ! lâche Annie, admirative. Oncle Henri est vraiment un grand savant.

Claude admire son père, mais regrette qu'il ne partage pas leurs jeux, comme font les autres parents, qu'il ne pratique ni le tennis, ni la natation, ni aucun sport. De plus, les cris et les plaisanteries des enfants le font fuir. Il proteste toujours énergiquement lorsque sa femme lui annonce l'arrivée de leurs neveux :

— Tu vas encore m'imposer la présence de cette troupe bruyante ? Alors, je m'enfermerai dans mon bureau et je n'en sortirai plus !

— Comme tu voudras, Henri, répond son épouse. Pourtant, tu sais bien que Claude et

ses cousins seront dehors toute la journée. Et il est bien normal que notre fille s'amuse avec des jeunes de son âge ! Elle se plaît tant en compagnie de François, Mick et Annie !

Une fois installés à la *Villa des Mouettes*, les cousins de Claude font bien attention à ne pas irriter leur oncle, pour ne pas le troubler dans ses calculs.

Comme le dit parfois François :

— On ne peut pas demander à un génie de se comporter comme tout le monde ; surtout à un génie scientifique, qui pourrait faire exploser la planète dans un accès de mauvaise humeur !

Claude est ravie de recevoir une fois de plus ses cousins à Kernach. Sur la plage, elle se laisse aller à une douce rêverie et fait toutes sortes de projets d'excursions.

— Si on retournait se baigner ? lance-t-elle enfin.

— Bonne idée ! acquiesce sa cousine. J'ai déjà nagé pendant longtemps, mais j'aimerais bien repiquer une tête... Il fait tellement chaud ! Si je ne me rafraîchis pas, je vais

me mettre à haleter en tirant la langue comme Dagobert !

Les jeunes vacanciers quittent leurs serviettes de bain et se dirigent vers le bord de l'eau. Ils s'allongent sur le sable humide, et laissent les vaguelettes ondoyantes leur chatouiller les pieds.

Claude laisse échapper un petit cri aigu.

— Ah ! C'est glacé !

Bientôt, les quatre enfants sont immergés dans les flots clairs de l'océan. François, Claude et Mick s'exercent au dos crawlé, tandis qu'Annie, équipée d'un masque et d'un tuba, explore les fonds marins.

Soudain, ils entendent Dagobert aboyer. L'animal est resté sur la plage, pour garder les affaires de ses compagnons. Claude sort la tête de l'eau et interpelle son chien :

— Dag ! Qu'est-ce qu'il y a ? Quelqu'un vient par ici ?

— J'ai entendu une voix, moi aussi ! intervient sa cousine. Tu crois que tante Cécile nous appelle déjà pour déjeuner ?

— Ce n'est pas possible ! répond l'aîné des Cinq. Il est trop tôt.

— Pas sûr... nuance Mick. Le temps passe tellement vite à Kernach...

Le jeune garçon sort de l'eau. Lorsqu'il atteint l'emplacement des serviettes de bain, il s'empare de son sac à dos et en sort une montre.

— Il est midi et demi ! lance-t-il en direction de ses compagnons. On est en retard !

— Zut ! s'exclame Claude en nageant vers le rivage. Maman nous avait expressément demandé d'être ponctuels pour rencontrer les deux savants...

Ils ramassent leurs affaires et se précipitent vers la *Villa des Mouettes*. Heureusement, la maison est située tout près de la plage. Il ne faut que quelques minutes au Club des Cinq pour atteindre le petit portail en bois.

Une grosse voiture grise est garée dans l'allée qui mène à la vieille demeure en pierres blanches. C'est un modèle récent. Les garçons examinent l'intérieur du véhicule, mais sans s'attarder.

Ils pénètrent dans la villa par la porte de

derrière. Tante Cécile les intercepte aussitôt. Elle a l'air contrariée.

— Désolée, maman... s'excuse Claude. On avait laissé nos montres sur la plage pendant la baignade. On est très en retard ?

— Non, ça va, répond la jeune femme. De toute façon, ton père est enfermé dans son bureau avec ses deux amis. Je vous ai appelés pour que puissiez dire « Bonjour » dès qu'ils se décideront à venir déjeuner.

— Tu sais, généralement, les amis de papa ne s'intéressent pas vraiment à nous...

Sa mère sourit.

— L'un des savants a une fille qui va entrer dans le même établissement scolaire que vous, Annie et Claude. C'est pourquoi il a souhaité vous rencontrer.

— En attendant, on devrait peut-être faire un tour à la salle de bains pour rincer le sable qui nous colle à la peau, suggère François.

À ce moment précis, la porte du bureau s'ouvre et oncle Henri sort, accompagné de deux hommes.

— Bonjour, lance l'un des inconnus. Ce sont vos enfants ?

— Oui, ils arrivent de la plage, s'empresse d'expliquer tante Cécile.

— Vous avez pris de belles couleurs ! estime l'autre savant. Je voudrais bien voir ma petite Claire aussi bronzée !

— Oh ! vous ne croyez tout de même pas que ces garnements sont tous à moi ? s'exclame oncle Henri. Non ! Seulement ce numéro-là, ajoute-t-il en posant la main sur l'épaule de Claude. Les autres sont mes neveux.

— Ah ! bon... Quel beau jeune homme ! commente le visiteur, en caressant les cheveux frisés de l'adolescente.

En général, elle déteste les gens qui se permettent ce geste. Mais ce monsieur l'a prise pour un garçon, alors elle lui sourit de toutes ses dents.

— Ma fille va entrer dans la même école que toi, annonce le chercheur à Annie. Elle sera très intimidée les premiers temps. J'espère que tu seras gentille avec elle et que tu la présenteras à tes amies.

— C’est promis, assure spontanément la fillette, tout en détaillant l’inconnu.

Elle trouve assez surprenant ce scientifique à la carrure athlétique et à la voix de stentor. L’autre collègue de l’oncle Henri, en revanche, a les épaules tombantes, le nez chaussé de grosses lunettes et le regard perdu dans le vague.

— Passons à table, maintenant, propose tante Cécile.

L’homme aux grosses lunettes la suit aussitôt, mais l’autre savant s’attarde près du Club des Cinq. Il sort son portefeuille et tend un billet à la benjamine du groupe.

— Achète ce que tu veux, dit-il avant de disparaître dans la salle à manger.

La porte se referme bruyamment.

— Ouh... Papa doit être furieux. Il a horreur qu’on claque les portes ! ricane Claude. Il est gentil, ce monsieur, non ? La belle voiture grise est certainement à lui. Je parie que l’autre est si distrait qu’il ne peut même pas faire du vélo sans danger !

— Les enfants ! appelle tante Cécile. Voici votre panier de pique-nique. Vous pou-

vez sortir vous balader. Je dois m'occuper de mes invités.

François soupèse la corbeille en osier.

— Allons vite déjeuner sur la plage, recommande-t-il avec un large sourire. Ce cabas si bien garni me donne une faim de loup !

*chapitre 2*

# Une visite dans la nuit

Le Club des Cinq va s'installer sur la plage. François déballe les provisions. Le panier contient des sandwichs variés, du poulet froid, un gros gâteau, des fruits et deux bouteilles de limonade, sortant du réfrigérateur.

— Mmmm... fait Mick. Voilà de quoi se régaler !

— Ouah ! approuve Dagobert, en agitant la queue.

On trouve pour lui, dans un papier brun, un os et de gros biscuits. Claude défait le paquet et déclare :

— C'est moi qui ai préparé ceci pour toi, mon Dag !

Le chien se jette sur elle et lui lèche vigoureusement le visage, en signe de reconnaissance.

— C'est bon ! c'est bon ! hurle sa petite maîtresse en éclatant de rire. Tu m'écrases !

Ils se mettent à dévorer à belles dents leur casse-croûte. Ceux qui ont terminé les premiers regardent le gros gâteau avec envie.

— Je ne comprends pas que les adultes restent à la maison quand il fait si bon dehors, déclare Mick. Quand je pense que tante Cécile, oncle Henri et leurs invités sont en train de manger des plats chauds entre quatre murs, alors qu'il fait un temps splendide, ça me rend fou !

— Ce savant à l'allure sportive est très sympa, avance Claude. Mon père a souvent parlé de lui : il s'appelle Charles Martin ; il habite Lyon. Pour le moment, il séjourne avec sa fille tout près d'ici, à Port-Rimy, ça lui permet de rencontrer souvent mon père. Ils mettent la dernière main à leurs travaux.

— On sait pourquoi il te plaît tant ! la taquine François. Il t'a prise pour un garçon !

Les yeux de Claude brillent. Son cousin a raison : elle ne supporte pas d'être une fille. D'ailleurs, elle refuse de répondre à son vrai prénom, Claudine, qu'elle juge trop féminin. Et pour se donner une apparence vraiment masculine, elle coupe ses cheveux très courts, à la garçonne.

Après le déjeuner, les Cinq s'allongent sur le sable, et François raconte un bon tour que Mick et lui ont joué à l'un de leurs professeurs. Quand il a terminé, il s'étonne du silence de ses compagnons, car il s'attendait à une tempête de rires. Il s'assied et constate que tout le monde dort à poings fermés. Vexé, il se laisse retomber sur le dos, quand Dagobert dresse l'oreille. On entend le bruit d'un puissant moteur.

« C'est la fameuse voiture grise, pense François. Qu'elle est belle... Toute neuve et ultramoderne ! »

Il se lève pour voir le véhicule s'éloigner sur la route.

Plus tard, les quatre enfants décident de paresser sur la plage. Ils relatent les expériences vécues pendant la première partie de

l'été. Les garçons ont passé un mois près de Londres pour perfectionner leur anglais. Annie a été en colonie de vacances pour pratiquer son sport favori : l'équitation. Et Claude est restée seule à la *Villa des Mouettes*.

Ils sont contents de reformer le Club des Cinq pour trois semaines. Kernach ne manque pas de charme, avec sa jolie plage de sable et sa petite île, en face de la baie...

Au troisième matin de leur séjour, les enfants sont réveillés par la sonnerie du téléphone.

— Tante Cécile doit être dans le jardin à cette heure... marmonne François, à demi endormi. Je vais répondre !

Il s'extirpe de son lit et dévale l'escalier.

— Allô ?

Une voix pressante répond à l'autre bout du fil.

— Qui est à l'appareil ? François ? Le neveu d'Henri Dorsel ? Oui ? Très bien ! Alors, écoute. Dis à ton oncle que je lui rendrai visite ce soir, tard, après le dîner. Il faut

qu'il m'attende. Dis-lui que je dois le voir pour une affaire très importante !

— Euh... balbutie le jeune garçon. Vous ne préférez pas lui dire tout ça vous-même, monsieur ? Je peux aller le chercher. Il est dans son bu...

L'aîné des Cinq s'interrompt. Il vient de se rendre compte que son interlocuteur a raccroché. Heureusement, il a reconnu la voix de ce dernier. Pas de doute : il s'agit du savant à l'allure sportive, venu en visite deux jours plus tôt.

François va frapper à la porte du bureau de son oncle. Silence. Il n'ose pas entrer dans la pièce sans y être invité, et va trouver sa tante.

— Le savant lyonnais a appelé, explique-t-il. Il a dit qu'il arriverait tard ce soir, après le dîner, et qu'oncle Henri devait l'attendre. Visiblement, il se passe quelque-chose de très sérieux.

— Tard ? Après le dîner ? répète Cécile Dorsel, consternée. Il compte dormir ici ? Pourquoi venir en pleine nuit ? Je n'ai pas

de chambre à lui offrir ! La maison est pleine à craquer !

— Il n'a pas donné de précisions. Quand j'ai proposé d'appeler mon oncle, il a raccroché.

— Que de mystère ! Comment faire pour l'héberger ? Espérons qu'il n'est pas arrivé de catastrophe !

— Tu devrais peut-être le recontacter pour en savoir un peu plus ? suggère son neveu. Oncle Henri connaît sans doute son numéro de téléphone.

— Oui, acquiesce la mère de Claude. Ton oncle est dans son bureau. Je vais le voir tout de suite.

— J'ai déjà frappé à la porte, personne n'a répondu.

— Mon mari est sans doute très absorbé par tous ses calculs. Je vais lui parler.

François va retrouver les autres et leur fait part du curieux coup de fil. Son frère déclare :

— Le savant reviendra peut-être à bord de sa belle voiture ! L'autre jour, je n'ai pas pu examiner l'intérieur. Ce soir, je resterai

éveillé jusqu'à l'arrivée du véhicule, et j'irai le regarder de près. Je suis sûr qu'il y a des tas de gadgets sur le tableau de bord.

L'oncle Henri est très surpris, lui aussi, de l'étrange appel téléphonique.

— Que veut-il donc ? s'écrie-t-il, irrité. Nous avons tout réglé ensemble l'autre jour. Tout, absolument tout ! Chacun de nous trois a sa part de travail. C'est à lui que revient la plus importante, d'ailleurs. Il a emporté tous les papiers, il ne peut pas en avoir oublié ici. Arriver en pleine nuit, c'est tout de même extraordinaire !

Ce soir-là, Mick résiste au sommeil, comme il se l'est promis. Il allume sa lampe de chevet et se met à lire un roman policier. Seul un livre à suspense peut le tenir éveillé.

Il termine le dernier chapitre quand la vieille horloge de l'entrée égrène les douze coups de minuit. Le visiteur se fait attendre.

« Pauvre tante Cécile ! pense le jeune garçon. Elle aussi est en train de veiller. Comme mon oncle doit être impatient ! »

Vers une heure du matin, il sent ses pau-

pières s'alourdir irrésistiblement. Pour lutter contre la torpeur qui l'envahit, il se lève, enfile sa robe de chambre et descend respirer l'air frais du jardin.

Il se promène lentement dans l'obscurité. Soudain, il entend un léger crissement.

Le bruit provient de la route. Ce n'est pas la voiture tant attendue... Sans aucun doute il s'agit... d'un vélo ! À sa grande surprise, Mick entend le cycliste s'arrêter devant la villa ; il y a un bruit de feuilles froissées lorsque l'inconnu laisse tomber sa bicyclette contre la haie. Le jeune spectateur, intrigué, se dissimule derrière un arbre et observe. Il voit une haute silhouette pénétrer dans le jardin et se diriger tranquillement vers la fenêtre du bureau, la seule qui soit éclairée dans la maison. L'homme frappe contre le carreau ; les deux battants s'ouvrent aussitôt.

— Qui est là ? demande oncle Henri. C'est toi, Charles ? Fais donc le tour de la maison, je vais t'ouvrir la porte d'entrée...

— Non, non ! répond le nouveau venu.

Laisse-moi passer par ici. Je veux être discret !

Déjà l'homme enjambe le petit balcon, et se glisse dans la pièce. La fenêtre se referme aussitôt.

Mick est très déçu.

« Quel imbécile ! se conspue-t-il. Et dire que j'ai veillé pour voir arriver... un malheureux vélo ! »

Il se glisse sous sa couette.

« Mais quand même... quelle étrange affaire ! songe-t-il. Je me demande pourquoi ce savant débarque au beau milieu de la nuit, à bord d'une bicyclette. Et pourquoi il est entré par la fenêtre... »

Au bout de quelques minutes, le jeune garçon, épuisé, s'endort profondément.

Lorsqu'il s'éveille le lendemain matin, il se demande s'il a rêvé. En descendant l'escalier pour aller déjeuner, il rencontre sa tante et s'empresse de l'interroger pour dissiper ses doutes :

— Tante Cécile ! L'ami de mon oncle est bien venu cette nuit ?

— Oui. Mais, surtout, n'en parle à personne. Il ne faut pas que ça se sache.

— Il est encore ici ?

— Non, il n'est resté qu'une heure.

— Seulement une heure ? Il devait avoir quelque chose d'important à vous dire...

— Très important, en effet, admet la jeune femme, réticente. Mais il vaut mieux que tu ne me poses pas de questions. Et fais attention de ne pas irriter ton oncle, qui est d'une humeur massacrante ce matin.

Bien entendu, Mick s'empresse d'aller raconter tout ce qu'il sait à son frère et sa cousine, qui terminent leur petit déjeuner.

— Hmm... fait François, perplexe. La venue de M. Martin est forcément liée à ses recherches scientifiques.

Au même moment, Annie entre dans la cuisine.

— Claude, devine quoi ! s'écrie-t-elle. Tante Cécile est en train d'installer une couchette pliante entre nos deux lits. On risque d'être serrées, à trois dans cette pièce !

— Quoi ? s'offusque sa cousine. Mais je ne veux personne d'autre que toi, Annie,

dans ma chambre ! Personne ! Je vais tout de suite demander des explications à maman !

Alors qu'elle s'élance en direction du premier étage, la porte du bureau s'ouvre brusquement et son père crie dans le couloir :

— Les enfants ! Venez dans mon bureau ! Je veux vous parler ! C'est une affaire de la plus haute importance !

Une affaire de la plus haute importance ? Les Cinq échangent des regards inquiets. Suivis de Dagobert, ils pénètrent dans le petit cabinet de travail. L'oncle Henri les observe. Son regard est sombre.

— L'heure est grave... annonce-t-il enfin.

*chapitre 3*

# Mauvaises nouvelles

Oncle Henri se lève et commence à arpenter la pièce de long en large, l'air très préoccupé.

— J'ai quelque chose d'important à vous dire, déclare-t-il. Vous vous souvenez certainement de mes deux collaborateurs ? En particulier du savant lyonnais, M. Martin ?

— Oui, répond l'assistance d'une seule voix.

— Il nous a donné un billet pour acheter ce qu'on veut ! ajoute Annie.

— Eh bien, il a eu tort, rétorque froidement oncle Henri. Vous allez encore vous bourrer de sucreries. Enfin, il ne s'agit pas

de ça. Mon ami a une fille qui s'appelle... euh... voyons...

— Claire ! souffle sa femme.

— Oui, c'est cela, Claire ! Son père vient d'être averti qu'elle court le risque d'être enlevée.

— Enlevée ? répète Annie, anxieuse. Et pourquoi ?

— Parce que son père en sait long au sujet de notre grande découverte, explique le savant. Il semblerait que quelqu'un cherche à lui extorquer le résultat de ses recherches. Un homme d'affaires malhonnête, par exemple, qui voudrait gagner beaucoup d'argent en exploitant le travail de mon ami. Charles ne sait pas exactement qui est l'auteur du chantage. Mais si sa fille est emmenée par le maître chanteur, il livrera ses secrets, et les miens, pour qu'elle lui soit rendue sans tarder.

Les Cinq restent muets, figés par la surprise et l'inquiétude.

— Mon collègue est donc venu cette nuit me demander de prendre Claire sous mon toit pendant trois semaines. En effet, à la fin

du mois d'août, les plans seront en voie de réalisation, et alors on ne risquera plus rien.

Les visages des jeunes vacanciers se renfrognent. Claude laisse éclater son dépit :

— Alors voilà pourquoi maman a ajouté un lit dans notre chambre ! Est-ce qu'on va devoir vivre serrées dans cette pièce pendant trois semaines ?

— Il faudra s'y faire ! réplique son père. Crois-tu que cela m'amuse d'avoir une gamine de plus dans cette maison ? Pourtant, nous devons accepter la situation. J'espère que tu comprends ce que représentent pour moi les travaux décisifs que nous essayons de mener à bien ?

— Mais pourquoi nous demander de recueillir cette Claire ? insiste l'adolescente. Il n'y a pas d'amis qui pourraient la prendre chez eux ? On ne la connaît même pas !

Sa mère l'arrête d'un geste :

— Voyons, Claude, ne te montre donc pas si dure. La petite a perdu sa maman il y a deux ans, elle n'a plus que son père. Si cet homme est venu nous demander ce service, c'est qu'il ne connaît personne d'autre

à qui il puisse confier sa fille. Il ne veut pas la renvoyer à Lyon parce qu'il a été averti par la police qu'elle pourrait y être suivie — et, de plus, en ce moment il ne peut pas l'accompagner. Nous devons lui offrir l'aide qu'il nous demande.

Elle s'arrête et regarde le jeune auditoire.

— Ne t'inquiète pas, tante Cécile, assure François. On s'occupera de Claire.

— Merci ! Pour ma part, j'accepte de bon cœur de prendre cette enfant avec nous. Je serais dans tous mes états si ma fille était menacée d'enlèvement et je compatis aux angoisses de Charles.

— Elle arrive quand ? demande Annie.

— Cette nuit, en bateau, répond son oncle. Nous mettrons Sylvie, la cuisinière, au courant, mais personne d'autre. C'est bien compris ?

Les Cinq hochent la tête avec gravité. Puis ils quittent le petit bureau.

— Je suis sûre que Dagobert détestera cette gamine ! bougonne Claude.

— Tu ne vas pas commencer à compliquer les choses ! rétorque Mick. Attends de

la rencontrer avant de dire des bêtises. Tu ne la connais même pas ! Elle est peut-être très gentille...

— Si on ne peut même plus dire ce qu'on pense...

— Allez ! intervient la benjamine du groupe. Ne gâchons pas cette belle journée où on est encore entre nous.

Ils essaient d'oublier l'arrivée prochaine de Claire et font tout leur possible pour profiter de l'après-midi. Munis d'un savoureux repas froid, ils partent dans le petit canot de Claude, d'où ils plongent à plusieurs reprises, et nagent dans une eau tiède et transparente. Dago, pour sa part, redoute ces bains autour d'un bateau, car, après avoir plongé, il a toujours un mal fou à remonter dans l'embarcation !

Les Cinq ne rentrent de leur excursion qu'en début de soirée. Ils sont épuisés mais heureux. Rien de tel que l'exercice et la baignade pour faire oublier tous les soucis.

— Vous croyez que Claire est arrivée ? questionne Annie, quand ils débarquent sur la grève.

— Non, répond François. Oncle Henri a précisé qu'elle serait amenée à la *Villa des Mouettes* cette nuit, en bateau. Elle voyagera quand il fera sombre, pour que personne ne l'aperçoive.

— Je suis sûre qu'elle est aussi ennuyée que nous, poursuit sa sœur. Je n'aimerais pas aller habiter chez des inconnus.

Quand le canot est amené sur la plage et amarré, ils se dirigent vers la maison. Tante Cécile les attend sur le pas de la porte avec un large sourire.

— Bravo ! Vous arrivez à l'heure pour le dîner. Le pique-nique que je vous ai donné aujourd'hui était copieux... Vous ne devez pas avoir très faim.

— Tu te trompes, tante Cécile ! assure Mick.

Il lève le nez en l'air, et reconnaît une odeur qui lui est particulièrement agréable.

— Mmm... Tu as fait ta délicieuse soupe à la tomate !

— Je savais que cela vous ferait plaisir, explique la jeune femme en riant. Allez vite vous laver les mains avant de passer à table.

— Claire arrive cette nuit, c'est ça ? interroge François.

— Oui. Mais puisque nous devons la cacher, il ne faudra pas l'appeler Claire. Nous lui trouverons un autre prénom.

Oncle Henri ne se montre pas à la salle à manger.

— Il dîne dans son bureau, explique son épouse. Toute cette affaire l'a retardé dans son travail. Il est très irrité par ces rebondissements.

Il y a un soupir de soulagement général. Tout le monde redoutait de le voir ce soir. Il met toujours si longtemps à surmonter une contrariété !

— Vous avez bien bronzé, mes enfants ! remarque tante Cécile en examinant les jeunes convives. Claude, ton nez pèle !

— Je sais... Ça m'énerve. Annie, elle, ne pèle jamais !

— Oh ! ce que j'ai sommeil ! déclare cette dernière en bâillant.

— Tu iras te coucher après le dîner, conseille Mick.

— J'aimerais bien. Seulement, ce ne

serait pas gentil d'être au lit quand Claire arrivera.

— Ne t'inquiète pas. Charles ne nous a pas dit exactement à quelle heure il l'amènerait. J'attendrai seule ; c'est suffisant. Personne d'autre n'a besoin de veiller. Cette petite sera certainement très fatiguée et inquiète. Je la mettrai au lit tout de suite. Rassurez-vous, elle n'aura aucune envie de faire votre connaissance cette nuit.

— Mais au fait, pourquoi est-ce qu'elle quitte son école à Lyon ? questionne Claude.

— Les recherches que mène son père nécessitent désormais qu'il soit à proximité de la mer. Et M. Martin a choisi le littoral breton pour être plus près d'Henri avec qui il collabore souvent.

Mick s'étire.

— Ouf ! souffle-t-il. Je vais me coucher ! J'ai du sommeil en retard. Hier, j'ai veillé jusqu'à une heure pour voir arriver un malheureux vélo... Mes yeux se ferment tout seuls. À demain, tante Cécile.

Les quatre enfants montent dans leurs

chambres. Dagobert suit, aussi fatigué que ses compagnons.

Une demi-heure plus tard, ils dorment tous comme des loirs. Les heures passent. Vers minuit, le chien se met à gronder sourdement, ce qui éveille sa petite maîtresse. Elle s'assied sur son lit.

— Qu'est-ce qu'il y a ? chuchote-t-elle. Oh ! je sais, c'est Claire qui arrive. J'ai hâte de voir sa tête ! Reste tranquille, Dag...

L'animal continue de grogner, mais plus faiblement. Bientôt, des pas se font entendre dans l'escalier, puis la porte de la chambre s'ouvre. Deux silhouettes, l'une grande et mince – celle de tante Cécile –, l'autre petite et rondelette, se profilent à contre-jour.

« Cette fille a l'allure d'une motte de beurre ! » songe Claude en ouvrant des yeux ronds.

*chapitre 4*

# Claire

Tante Cécile appuie sur l'interrupteur.

La lumière inonde la chambre et révèle une fillette d'environ dix ans, tout enroulée dans des couvertures. Elle sanglote amèrement.

Annie ne s'éveille pas. Dagobert, médusé, se contente de s'allonger sur le lit et d'observer la nouvelle venue.

— Dis à ton chien de se taire, souffle la maman de Claude, qui craint que l'animal ne réveille toute la maisonnée par ses aboiements.

Sa fille pose une main sur la tête de Dagobert pour le calmer.

La jeune femme pousse doucement Claire dans la chambre.

— La pauvre a eu le mal de mer, explique-t-elle à voix basse. Elle est toute bouleversée. Il faut qu'elle se couche tout de suite.

La fillette pleure encore, mais se calme progressivement. Son malaise s'atténue. Lorsqu'elle est dégagée de ses couvertures, elle apparaît vêtue d'un blouson bleu.

— Merci de m'accueillir chez vous, madame... murmure-t-elle dans un dernier reniflement.

— Appelle-moi tante Cécile, comme mes neveux. Tu sais pourquoi on t'a envoyée ici, n'est-ce pas ?

— Oui. Mais moi, je ne voulais pas quitter papa. Je n'ai pas peur d'être enlevée ! Enfin, il n'a pas voulu m'écouter. Il m'a assuré qu'il valait mieux que vous me cachiez quelque temps. J'ai quand même pris Chouquette pour veiller sur moi...

— Qui est Chouquette ? demande l'hôtesse, en l'aidant à retirer son imperméable.

— Ma petite chienne ! Elle est en bas, dans le panier que j'ai apporté.

Claude ouvre des yeux scandalisés en entendant cette nouvelle.

— Un chien ? s'écrie-t-elle. On ne peut pas accueillir un autre chien ici ! Le mien ne le permettrait pas. Hein, Dag ?

Ce dernier fait entendre un grognement approbatif. Il observe l'inconnue avec le plus grand intérêt. Il voudrait bien descendre du lit pour aller la flairer, mais sa maîtresse le tient fermement par le collier.

— Maintenant que j'ai amené ma Chouquette, il faut bien qu'elle reste ici, rétorque Claire. Le bateau est reparti. D'ailleurs, je ne peux pas me passer d'elle. Papa le sait bien. C'est pourquoi il m'a donné la permission de la prendre avec moi.

— Maman, explique-lui que Dago se bat férocement avec tous les chiens qui viennent chez nous ! insiste l'adolescente d'un ton pressant. Je ne veux pas d'un autre animal dans notre maison !

Sa mère ne répond pas. Elle donne un pyjama et une robe de chambre à la nou-

velle venue. C'est une jolie fillette, mince, en fait, avec de grands yeux bleus et de beaux cheveux blonds, ondulés. Elle rejette en arrière sa longue chevelure et s'essuie le visage avec le revers de la main.

— Merci. Vous me permettez d'aller délivrer Chouquette maintenant ?

— Pas ce soir, ma chérie, répond tante Cécile. Demain, nous présenterons Chouquette à Dagobert. Regarde, tu vas dormir dans ce lit de camp. Veux-tu manger un peu de soupe à la tomate et des biscuits avant de te coucher ?

— Oui, avec plaisir. Je me sens mieux et j'ai faim. Cet affreux bateau m'a rendue malade !

— Mets ton pyjama et saute dans ton lit, Claude va t'apporter le potage et les gâteaux sur un plateau.

Cette dernière se lève, à contrecœur. Elle remarque que Claire n'enfile pas les vêtements qu'on a posés sur son lit, mais sort de sa valise une chemise de nuit. La maîtresse de Dagobert fait la moue.

« Elle ne porte même pas de pyjama,

pense-t-elle. Voilà une fille qui retarde ! Et quel culot d'amener son chien chez nous ! Je vais jeter un coup d'œil dans son panier en descendant. »

Mais sa mère devine ses intentions.

— Claude ! interpelle-t-elle. Je ne veux pas que tu ouvres la corbeille du chien, c'est compris ? J'installerai Chouquette dans la niche de Dagobert avant d'aller me coucher.

La jeune fille ne répond pas et descend à la cuisine. Pendant qu'elle verse la soupe dans un bol, elle entend un faible gémissement, qui vient d'un grand cabas posé dans un coin. Claude éprouve la tentation de l'ouvrir, mais elle pense que, si l'animal lui échappe et court dans l'escalier pour retrouver sa maîtresse, Dago aboiera... Elle ne peut pas prendre un tel risque.

Pendant ce temps, au premier étage, Dagobert profite de l'absence de sa maîtresse pour sauter du lit afin d'aller examiner de près la nouvelle venue. Il la flaire délicatement, et Claire le caresse.

— Quels beaux yeux... commente-t-elle. Quelle est sa race ?

— Il n'est pas d'une race pure, répond tante Cécile. Il est le résultat d'un croisement entre deux espèces. Mais je ne te conseille pas de rappeler cela à Claude. Elle adore son toutou et le trouve magnifique. Te sens-tu mieux, maintenant ? J'espère que tu te plairas chez nous. Je sais bien que tu ne voulais pas venir, mais ton père n'a trouvé que cette solution pour te mettre à l'abri. D'autre part, ce sera une très bonne chose pour toi que de faire connaissance avec Annie et Claudine avant la rentrée des classes.

— Claudine ? C'est donc une fille que vous appelez Claude ? Je n'en étais pas sûre. Mon père m'a dit qu'il y avait ici trois garçons et une fille.

— Ton père s'est trompé. Nous avons chez nous deux garçons et deux filles ; voici Annie, qui dort. François et Mick occupent la chambre voisine.

— Claude n'a pas l'air de bonne humeur... Je vois bien qu'elle n'est pas contente que je sois ici avec Chouquette.

— Allons, tu t'amuseras beaucoup avec elle quand tu la connaîtras mieux. Tu ver-

ras comme elle est gaie ! Tiens, la voilà qui revient avec ton potage.

La maîtresse de Dagobert entre dans la chambre, et fronce les sourcils en voyant son chien se laisser caresser par la jeune invitée. D'un geste brusque, elle pose le bol fumant sur la table de nuit et tire son fidèle compagnon par le collier.

— Merci, dit Claire en s'emparant du petit récipient avec un plaisir évident. Mmm... ça sent bon !

Claude se recouche et tourne le dos à l'étrangère. Elle sait qu'elle se conduit impoliment, mais elle ne supporte pas l'idée que quelqu'un ose amener un chien sous son toit.

Dagobert saute sur le lit de sa maîtresse pour y dormir comme d'habitude. La fille de M. Martin observe son manège d'un air approbateur.

— Quelle bonne idée ! s'écrie-t-elle. Papa accepte que ma chienne couche dans ma chambre, à condition qu'elle reste dans son panier. Demain soir, elle passera la nuit sur mes pieds, comme celui-là !

— Ça, non ! rugit Claude, se redressant d'un coup. Aucun animal n'est admis dans cette pièce, excepté Dagobert !

Annie grogne et se retourne dans son lit.

— Chut ! fait tante Cécile. Moins fort ! Tu vas réveiller ta cousine. Vous discuterez quand il fera jour.

Claire n'insiste pas. Elle sent le sommeil la gagner, ses yeux se ferment tout seuls. Elle souffle d'une voix presque indistincte :

— Merci, tante Cécile, et bonne nuit !

Elle tombe endormie en prononçant le dernier mot.

La maman prend le bol vide et se dirige vers la porte.

— Claude ! chuchote-t-elle d'un ton de reproche.

La jeune fille ne bouge pas. Elle sait que sa mère est mécontente de son attitude. Elle fait semblant de dormir pour éviter de se faire gronder.

— Claude, reprend sa mère, je suis sûre que tu m'entends. Tu devrais avoir honte de te conduire comme une petite capricieuse.

J'espère que demain matin tu te montreras un peu plus accueillante !

Puis elle quitte la chambre et va voir Chouquette. Elle la prend dans ses bras et la porte dans la niche de Dagobert, au fond du jardin. La petite chienne y sera en sécurité.

« Que va-t-il se passer demain ? se demande Cécile Dorsel avec inquiétude. Claude est d'humeur exécrable... Et qui sait si les malfaiteurs qui menacent d'enlever Claire ne l'ont pas suivie jusqu'ici ? Peut-être surveillent-ils la maison en ce moment ? J'espère que nous n'avons pas eu tort de rendre service à Charles Martin ! »

chapitre 5

# Premières difficultés

Le lendemain matin, Claude s'éveille la première. Elle se souvient aussitôt des événements de la nuit et regarde Claire, qui dort sur le lit de camp, avec ses abondants cheveux blonds répandus sur l'oreiller. La maîtresse de Dagobert se penche vers Annie et lui frappe sur l'épaule. Cette dernière sursaute et ouvre des yeux effarés.

— Hein ? Quoi ? balbutie-t-elle. Qu'est-ce que tu veux ? C'est déjà l'heure de se lever ?

— Le colis est arrivé ! annonce sa cousine à mi-voix, en désignant la nouvelle venue du menton.

La benjamine des Cinq se tourne et découvre sa voisine. Elle la trouve très

jolie, avec ses traits délicats et sa chevelure ondulée.

— Elle n'est pas mal...

Claude fronce les sourcils et reprend d'un ton méprisant :

— Elle pleurait comme une fontaine en arrivant. Un vrai bébé. Et figure-toi qu'elle a osé amener un chien !

— Oh ! Dagobert sera furieux.

— Maman l'a mis dans la niche. Je ne l'ai pas encore vu. Claire l'a amené dans un panier. Il ne doit pas être gros. C'est sans doute un affreux pékinois ou un stupide manchon !

— Je ne trouve pas que les pékinois soient affreux. Ce sera amusant d'avoir un autre chien, si Dagobert le prend bien ! Oh ! elle se réveille !

La fillette endormie bâille longuement, s'étire, ouvre les yeux et regarde autour d'elle. Tout d'abord, elle paraît surprise, puis se souvient. Elle s'assied sur son lit.

— Bonjour, lance Annie en souriant. C'est une surprise pour moi de te trouver là ce matin !

Claire la trouve bien plus aimable que Claude. Elle répond à son sourire.

— Oui, je suis arrivée cette nuit, à bord d'un Zodiac ; il y avait de grosses vagues, et j'ai eu le mal de mer. Mon père a demandé à un de ses amis de m'accompagner... Oh ! quand je repense à ce trajet en bateau, ça me redonne mal au cœur !

— Tu n'as pas eu de chance, commente la benjamine des Cinq. Ce petit voyage en canot aurait pu être une aventure excitante.

— Eh bien, ça n'a pas été le cas... d'ailleurs, je n'aime pas les aventures.

Claude a une moue de dédain.

— Je ne les aime pas tellement non plus, annonce sa cousine. Pourtant, on en a eu des tas ! Mais j'avoue que je les préfère quand elles sont terminées.

La maîtresse de Dagobert explose :

— Annie ! Ne dis pas n'importe quoi ! On a connu ensemble des événements extraordinaires ! Si c'est comme ça, on ne te fera pas partager le prochain !

— C'est toi qui racontes des bêtises ! Une aventure arrive sans prévenir, comme un

orage dans un ciel d'été. Quand elle se présente, on n'a pas d'autre choix que de la vivre ! D'ailleurs, je ne supporterais pas que vous couriez des risques sans moi, tu le sais bien.

— Il est l'heure de se lever ? demande Claire.

— Oui, acquiesce Claude, en jetant un coup d'œil à son réveil. À moins que mademoiselle ne désire déjeuner dans ton lit ? ajoute-t-elle ironiquement.

— Ce n'est pas dans mes habitudes, réplique l'autre, froidement.

Elle saute du lit et se dirige vers la fenêtre. Elle découvre la vue splendide : la mer d'un bleu profond scintille au soleil du matin.

— Je me demandais pourquoi la chambre était baignée d'une lumière si brillante, murmure-t-elle. Maintenant, je comprends. C'est merveilleux d'avoir l'océan sous ses fenêtres. Vous avez vu cette petite île, là-bas ? J'ai bien envie de la visiter.

— C'est l'île de Kernach, annonce Claude, fièrement. Elle m'appartient.

La fille de Charles Martin se met à rire, croyant que son interlocutrice plaisante.

— Tu veux dire que tu *souhaiterais* qu'elle soit à toi ? Elle est toute petite, non ? J'aimerais bien que papa achète le terrain pour y faire construire une villa où on pourrait passer nos vacances...

En entendant ces paroles, la maîtresse de Dago s'emporte :

— Hein ? Acheter mon île ! Je te dis qu'elle m'appartient !

Claire la regarde avec ahurissement.

— Sérieusement ?

— Oui, confirme Annie. La famille de Claude en est propriétaire depuis longtemps.

La jeune convive scrute cette dernière avec admiration.

— Vraiment, elle est à toi ? C'est super ! Tu as de la chance ! J'espère que tu me la feras visiter ?

— On verra... marmonne l'autre, bourrue mais heureuse d'avoir réussi à impressionner la fillette.

Soudain, des voix s'élèvent de la chambre voisine.

— Hé ! crie Mick. Vous en avez des choses à vous raconter, ce matin !

— Il y a un arrivage ! hurle Annie en réponse. On s'habille, et on vient faire les présentations !

— Ce sont vos frères ? demande l'invitée. Moi, je suis fille unique.

— Oui, ce sont mes frères, et les cousins de Claude. Tu verras, ils sont très sympa !

— Ça oui, approuve sa cousine sans la moindre hésitation.

Puis, elle a un geste de contrariété, car Dagobert s'approche de Claire et lui témoigne de l'affection.

— Viens ici, Dag.

— Laisse-le faire, il est très adorable, intervient la nouvelle venue en caressant la grosse tête du chien. Bien sûr, il semblerait énorme si on le mettait à côté de ma petite Chouquette. Vous verrez comme elle est drôle, et bien dressée ! Tout le monde l'aime !

Claude préfère ne pas répondre et se dirige vers la salle de bains. Elle la trouve occupée par François et Mick.

On entend des cris épouvantables quand l'adolescente demande aux garçons de se dépêcher afin de lui laisser la place. La fille de M. Martin rit de bon cœur.

— Ce sont des choses qu'on ne connaît pas quand on est enfant unique, soupire-t-elle.

Quand ils sont tous prêts, les enfants descendent et découvrent oncle Henri attablé devant son petit déjeuner. Il paraît très surpris de voir une petite fille blonde.

— Qui est-ce ? demande-t-il en ouvrant de grands yeux.

— Voyons, Henri, ne me dis pas que tu as déjà oublié... gronde gentiment son épouse qui revient de la cuisine. C'est la fille de ton ami Charles ! Elle est arrivée cette nuit. Tu dormais si bien que j'ai préféré ne pas te réveiller.

— Ah ! oui ! s'écrie le savant, Je me souviens ! Bienvenue à Kernach ! Comment t'appelles-tu ?

— Claire ! répond le chœur des enfants.

— Oh ! c'est vrai. Assieds-toi, ma petite

Claire. Je connais bien ton père. C'est un grand chercheur.

La fillette sourit, très fière.

— Papa travaille tout le temps. Quelquefois même la nuit, déclare-t-elle.

— Vraiment ? Il a bien tort ! Il devrait s'accorder quelques moments de détente.

Sa femme l'observe avec un sourire en coin.

— Toi aussi, Henri, tu te surmènes, glisse-t-elle. Tu ne t'en aperçois même pas.

Le scientifique remarque alors une lettre portant la mention « Urgent » sur sa pile de correspondance.

— Il me semble que c'est une lettre de ton père, je reconnais son écriture. Il m'envoie des documents très importants pour nos travaux. Ah ! Il y a joint une lettre. Voyons ce qu'il écrit.

Il lit.

— Cette lettre te concerne, ma petite Claire, affirme-t-il au bout d'un moment. Charles a des idées originales à ton sujet. Oui, vraiment !

— Quoi donc ? demande son épouse.

— Eh bien, il demande que sa fille soit habillée en garçon, au cas où les ravisseurs éventuels retrouveraient sa trace. Il veut aussi qu'on change son nom et qu'on lui coupe les cheveux le plus court possible, afin de la rendre méconnaissable.

Chacun écoute, ébahi. La voix grêle de Mick rompt le silence.

— Si ce n'est pas suffisant, on peut même teindre ses boucles blondes en noir... commence-t-il.

— Ce n'est pas le moment de lancer des idées saugrenues ! s'écrie son oncle.

François, Claude et Annie luttent contre le fou rire. Mais la nouvelle venue a un sursaut :

— Non ! Je ne veux pas m'habiller comme un garçon ! Je ne veux pas qu'on me coupe les cheveux. Je ne veux pas !

— Eh bien, il demande que sa fille soit habillée en garçon au cas où les gens [illegible] il veut [illegible] qu'on lui coupe [illegible] comme les cheveux [illegible] afin [illegible]

C'est au comte, enfin [illegible] le silence.

— Si ce n'est pas suffisant [illegible] ces boucles blondes en [illegible] demande-t-il.

— [illegible]

[illegible]

autre.

— Non ! Je ne veux pas [illegible] comme un garçon ! Je ne veux [illegible] couper les cheveux [illegible]

*chapitre 6*

# Chouquette

Claire semble sur le point d'éclater en sanglots. Tante Cécile s'empresse de faire diversion.

— Ne t'inquiète pas au sujet de cette lettre, dit-elle. Pour l'instant, prenons tranquillement notre petit déjeuner. Nous discuterons plus tard.

Claude et ses cousins observent la jeune convive avec curiosité. Non, décidément, elle n'a rien d'un garçon, cette jolie fillette aux longs cheveux blonds et aux yeux pleins de larmes...

Claude pense, sans indulgence :

« Tout ce qui se passera si on coupe les

cheveux de cette gamine, c'est qu'elle aura l'air... d'une dinde ! »

Quand elle a fini de grignoter ses tartines, la nouvelle venue demande :

— Où est ma chienne ? Je voudrais bien la voir. La pauvre a dû s'ennuyer sans moi.

— Va la chercher, suggère tante Cécile. Nous avons tous fini de manger. Amène-la ici !

Oncle Henri se lève.

— Moi, je vais travailler, annonce-t-il. J'espère que je ne serai pas dérangé par des cris et des aboiements.

Il s'éloigne. Claire se lève et demande :

— Où est la niche ?

— Je vais te la montrer, propose Annie. Tu viens avec nous, Claude ?

— Non, réplique cette dernière d'un ton tranchant. J'attends ici. On verra quelle sera la réaction de Dagobert. Si Mlle Chouquette ne lui plaît pas, il faudra qu'elle reste dehors, c'est compris ?

— Oh ! non ! supplie la fille de Charles Martin.

— Je te signale que Dago se montre cruellement jaloux des autres chiens.

— Ce n'est tout de même pas une bête féroce !

— Je t'aurai avertie ! déclare l'autre en lui tournant le dos.

— Viens, intervient Annie. Allons délivrer la pauvre Chouquette qui doit se demander pourquoi tu n'es pas auprès d'elle.

Quand les autres sont sortis, Claude souffle à l'oreille de son fidèle compagnon :

— Tu n'aimes pas que d'autres chiens pénètrent dans ta maison, hein, Dag ? Alors, aboie bien fort ! Ne mords pas, mais grogne et montre les crocs, ce sera suffisant.

Elle entend des pas, et la voix de sa cousine :

— Comme elle est mignonne ! François, Mick, tante Cécile, venez voir !

Tout le monde accourt. Claire porte dans ses bras un tout petit caniche noir. Son museau inquiet s'agite sans cesse, et ses yeux vifs examinent les gens qui l'entourent.

Sa maîtresse pose la chienne par terre. L'animal reste là, planté sur ses pattes délicates, comme une ballerine sur le point de se mettre à danser. Dagobert, d'abord interloqué, flaire de loin. Claude le tient solidement par le collier.

Chouquette le voit et le scrute de ses yeux brillants, sans crainte. Puis elle se dirige résolument vers lui, en agitant comiquement son bout de queue en pompon. L'autre, surpris, recule. La chienne virevolte tout autour de lui et fait entendre un léger aboiement, qui veut dire clairement :

— Tu veux jouer avec moi ?

En réponse, Dago fait un bond en l'air, si vigoureux et si inattendu que Claude lâche prise. Tout le monde se met à rire en voyant les deux bêtes courir à travers la pièce, et le petit caniche si vif gambader autour du gros Dagobert.

Après quelques minutes d'un jeu très animé, Chouquette se laisse tomber dans un coin, essoufflée. Son nouvel ami s'approche et lui donne un bon coup de langue sur le nez.

L'attitude de son fidèle compagnon surprend beaucoup Claude. Elle ne comprend pas qu'il accueille de cette façon un autre chien, alors qu'elle lui a demandé de faire précisément le contraire.

— Ce qu'ils sont amusants tous les deux ! commente Claire, ravie. Vous voyez comme ils s'entendent bien ? J'en étais sûre. Dago est admiratif de ma chienne. Il y a de quoi, d'ailleurs, car elle est de race pure, elle a un pedigree...

Elle s'arrête et se mord les lèvres, en se rendant compte de sa maladresse. Mick s'empresse de répondre à la place de sa cousine :

— Ta Chouquette est sans doute une jolie petite bête, mais notre Dag, à lui tout seul, vaut sûrement dix Chouquette !

— Oh ! tu exagères, s'indigne la fillette. Enfin, c'est vrai que c'est un beau chien. Ses yeux surtout sont extraordinaires...

Claude se décrispe.

— Est-ce que ma chienne pourra coucher sur mon lit ce soir ? S'il vous plaît, dites oui, tante Cécile !

— Non ! Maman, dis non ! Je ne suis pas d'accord !

— Nous verrons, déclare la jeune femme, embarrassée. Ma chérie, je t'assure que ton caniche paraissait très heureux de coucher dans la niche, la nuit dernière.

— Peut-être... Mais je voudrais la garder avec moi, insiste la nouvelle venue, en jetant un coup d'œil furieux à Claude.

— Nous réglerons cette question plus tard, tranche Cécile Dorsel. En attendant, il va falloir suivre les instructions de Charles...

— Mais je ne veux pas... commence Claire, la voix tremblante.

Une main se pose sur son bras. C'est celle de François.

— Ne t'inquiète pas, tout se passera bien.

La fillette, charmée par cette intervention inattendue, pense qu'elle aimerait bien avoir un frère comme ce jeune homme. Son regard rieur et bienveillant inspire confiance. Elle se calme, et ravale les sanglots qui lui serrent la gorge.

— On surveillera chaque coup de ciseau

que donnera tante Cécile, poursuit l'aîné des Cinq. Mais il faut que tu acceptes qu'on te transforme en garçon. C'est le seul moyen d'échapper aux ravisseurs...

*chapitre 7*

# Conciliabule

Les jeunes vacanciers débarrassent la table et aident Sylvie, qui ne manque pas de travail avec huit personnes dans la maison, y compris elle-même. La cuisinière a été très surprise, au petit déjeuner, de trouver là une enfant de plus. Tante Cécile s'est empressée de lui dire qu'on lui donnerait des explications plus tard.

Au premier étage, Claire fait son lit. Elle se montre assez maladroite, faute d'habitude, mais elle y met de la bonne volonté. La maman de Claude l'encourage.

Les deux chiens courent à travers la chambre, ce qui n'arrange rien.

— Je suis contente que Dagobert aime

Chouquette, se réjouit la fillette. Ça ne me surprend pas. Je me demande pourquoi Claude s'était imaginé le contraire... Comme elle est bizarre !

— Tu te trompes sur son compte, assure tante Cécile. Elle n'a pas eu de frères ni de sœurs pour arrondir les angles de son caractère. Les enfants uniques ne sont généralement pas aussi faciles à vivre que les autres, mais tu t'apercevras vite qu'elle a bon cœur et qu'elle est très drôle.

— Je suis fille unique, moi aussi ! Mais j'ai toujours eu beaucoup d'amis pour jouer avec moi. Mon père voulait que je sois entourée. Il est si gentil, papa !

— Nous avons fini notre travail maintenant, Claire. Nous allons descendre et tenir une petite réunion à ton sujet. Va prévenir les autres !

La jeune convive, suivie de Chouquette (elle-même accompagnée de Dagobert, tout à fait conquis), s'en va chercher François, Mick, Claude et Annie.

Bientôt, les cinq enfants, les deux chiens et la cuisinière se retrouvent au salon, avec

tante Cécile. Celle-ci tient à la main la lettre de Charles Martin. Elle ne la leur lit pas, mais leur en résume le contenu. Puis elle s'adresse à Sylvie :

— Vous savez que mon mari se consacre à la recherche scientifique. Le père de Claire fait la même chose à Lyon, et tous deux collaborent pour une importante réalisation.

— Oui, je suis au courant.

— M. Martin est soumis à un odieux chantage : s'il ne divulgue pas les résultats de ses recherches, sa fille sera enlevée. C'est pourquoi elle restera chez nous pendant trois semaines, en espérant qu'elle sera en sécurité. Après ce délai, il n'y aura plus aucun danger, car les travaux seront achevés et rendus publics.

— Je comprends... déclare Sylvie, d'un air grave. Je veillerai bien sur elle pendant son séjour à la *Villa des Mouettes*.

— De plus, poursuit la maîtresse de maison, son père demande qu'elle soit habillée en garçon. Il pense que cela piégera les ravisseurs.

— Je trouve que c'est une bonne idée,

approuve Mick. Il faut lui trouver un prénom masculin, et couper ses boucles blondes.

— Oh non ! pas ça ! s'écrie la petite, en secouant sa belle chevelure. Les filles qui ont les cheveux coupés comme des garçons sont ridicules et moches...

Annie la pousse du coude. Claire s'arrête, confuse, en regardant Claude et ses courts cheveux frisés.

— Nous n'avons pas le choix, explique tante Cécile. Il faut faire ce que demande ton papa. C'est très important. Si quelqu'un te cherche pour t'enlever, il ne te reconnaîtra pas sous l'apparence d'un garçon.

— Mes beaux cheveux ! murmure la fillette, sur le point de fondre en larmes.

— Oh ! ça va ! Un peu de modestie, persifle la maîtresse de Dagobert.

— Console-toi, ils repousseront très vite, assure Annie.

— Tu as la tête idéale, estime François. Tu seras très mignonne avec une coupe à la garçonne.

Claire se sent réconfortée. Si l'aîné des Cinq pense cela, après tout...

— Mais... et mes vêtements ? s'exclame-t-elle, en se souvenant de ce détail avec désespoir. Je ne pourrai plus les porter ? Qu'est-ce que je vais mettre ? Les filles sont affreuses, habillées en garçon !

— Tu ne seras pas plus mal que Claude, nuance Mick. Regarde-la : elle a un pull, un tee-shirt, un short, exactement comme moi.

La fille de M. Martin considère l'adolescente en silence. Elle n'ose rien dire, mais son petit visage trahit sa pensée : « Et tu la trouves bien ? Pas moi ! »

Annie sent que la discussion est sur le point de dégénérer.

En effet, sa cousine fronce les sourcils et s'écrie :

— Je suis sûre que toi, tu seras horrible dans cette tenue ! Au mieux, tu ressembleras à un petit garçon efféminé et timide ! C'est une idée idiote que de vouloir t'habiller comme ça. Ça ne t'ira pas du tout !

— Tu veux être la seule ! rétorque Mick,

taquin, en s'éloignant pour éviter une bourrade.

— Stop ! s'interpose François. Assez discuté ! On va faire exactement ce que nous a demandé M. Martin. J'irai acheter des vêtements pour Claire ce matin, et c'est moi qui lui couperai les cheveux !

La fillette ouvre des yeux ronds, mais ne proteste pas.

Tante Cécile a envie de rire.

— Va lui chercher des habits si cela t'amuse, concède-t-elle. Mais il vaut mieux que je me charge moi-même de la coupe de cheveux. Tu risquerais de transformer cette pauvre petite en épouvantail ! Maintenant, réfléchissons à un nom de garçon. On ne peut pas continuer à l'appeler Claire, en tout cas...

— Si on l'appelait Robert ? suggère l'aîné des Cinq.

— Non, laissez-moi prendre mon second prénom : Michèle. Il y a des garçons qui s'appellent Michel... La prononciation est la même.

— Très bonne idée, approuve la maîtresse de maison. Va pour Michel !

Elle se tourne vers les Cinq et leur dit avec gravité :

— Vous ne devrez jamais perdre Claire de vue – euh... je veux dire Michel. Il faut venir m'avertir immédiatement si vous remarquez quelque chose d'anormal ou si vous voyez un étranger rôder aux environs. La police sait que nous hébergeons cette enfant et pour quelle raison. Nous tiendrons les gendarmes informés de tout ce qui pourrait se produire. Ils exerceront une surveillance étroite mais discrète de leur côté, bien entendu.

— Tiens, tiens ! On dirait qu'on repart vers une aventure, remarque Mick avec le sourire.

— J'espère que non, réagit sa tante. Désormais, il n'y aura plus de Claire ici, mais un petit Michel, un ami des garçons, venu passer quelques jours chez nous.

— Si tu veux bien me donner de l'argent, intervient François, je vais tout de suite acheter des habits pour Michel. Je lui prends deux shorts et deux tee-shirts ?

— Elle aura l'air ridicule... grommelle sa cousine.

— Claude ! gronde Cécile Dorsel. Sois gentille, s'il te plaît ! Et cesse de dire « elle » en parlant de notre invitée. Il suffit que l'un de nous révèle par mégarde qu'elle est une fille, pour exposer Claire – non, Michel – à un grave danger.

— J'ai compris. N'empêche qu'elle n'aura jamais l'air d'un garçon.

— Eh bien, tant mieux ! s'écrie la petite. Et toi, tu veux que je te dise à quoi tu ressembles ?

— Personne n'a envie de le savoir, l'interrompt la maman, prudemment.

— Claude, tu veux m'aider à choisir des vêtements pour Michel ? propose l'aîné des Cinq. Mais, s'il te plaît, quitte cet air sombre, tu me rappelles mon professeur de maths !

— D'accord, je t'accompagne. Je serai bien contente de prendre l'air, j'ai les nerfs en pelote.

— Salut, Claire ! Euh... je veux dire Michel ! lance le garçon en se dirigeant vers

la porte. Quand on reviendra, tu auras la boule à zéro ! Je suis sûr que ça t'ira très bien !

Annie va chercher les grands ciseaux de sa tante et pose une serviette sur les épaules de la petite blonde dont les yeux bleus s'embuent de larmes.

— Courage, souffle Mick. Avec des cheveux courts, tu auras l'air d'un petit ange !

— Ne bouge plus ! avertit tante Cécile.

Et elle commence. Les deux grandes lames crissent et des boucles blondes tombent mollement sur le sol. Claire éclate en sanglots.

— Mes cheveux ! Je ne peux pas supporter ça ! Oh ! mes pauvres cheveux !

La mère de Claude doit attendre que l'enfant se calme pour continuer cette délicate opération. Elle s'acquitte au mieux de sa tâche. Mick et Annie observent avec le plus grand intérêt.

— Voilà ! C'est fini ! annonce enfin la jeune femme. Ne pleure plus, Michel, et laisse-nous voir le résultat !

[illegible] Quand tu reviendras, tu auras la bonté [illegible] que [illegible] lieu.

Alors [illegible] ses yeux de [illegible] et les épaules de la jeune blonde dont les yeux bleus s'agrandissaient [illegible]

— [illegible] des [illegible]

[illegible]

— Mais [illegible] je peux [illegible] jamais, dit-elle [illegible]

[illegible]

— Voilà! C'est fini! annonça enfin la jeune femme. Ne pleure plus, [illegible] et laisse-nous voir le résultat!

chapitre 8

# Métamorphose

Claire reste au milieu de la pièce, et essuie ses larmes. Annie laisse échapper un cri de stupéfaction :

— Ça alors ! Tu ressembles vraiment à un petit garçon ! Et même un très joli petit garçon !

— On dirait un ange ! renchérit Mick. Je l'avais bien dit !

Tante Cécile est elle-même assez surprise du nouvel aspect de la jeune convive.

— Il n'y a aucun doute là-dessus. Il ne manque plus que les vêtements...

La fillette va se regarder dans la glace qui se trouve au-dessus de la cheminée.

Elle pousse une exclamation d'horreur.

— C'est moi, ça ? Je suis affreuse ! Je ne me reconnais même pas.

— Parfait ! estime Annie. C'est exactement ce qu'il faut. Personne ne te reconnaîtra. Ton père avait raison !

— J'aimerais mieux être enlevée que défigurée à ce point-là, gémit la petite. Que diront les filles de ma nouvelle école quand elles me verront ?

— Ne t'inquiète pas ! Elles ne font pas attention à la coupe de Claude, alors ce sera la même chose pour toi.

— Ne pleure pas comme ça, Clai... euh... Michel, dit la maîtresse de maison. Tu me fends le cœur. Comme tu as été bien sage pendant que je te coiffais, tu as droit à une récompense.

Les larmes de l'enfant se tarissent aussitôt.

— Il n'y a qu'une chose qui me ferait réellement plaisir : que Chouquette dorme sur mon lit !

— Mon pauvre chou, tu ne comprends pas que trois personnes et deux chiens dans une si petite chambre, c'est beaucoup trop ?

répond la jeune femme, très ennuyée. Et puis, Claude sera furieuse si je t'y autorise...

— Mon caniche ne prend presque pas de place, et il aboie au moindre bruit. C'est mon gardien...

— J'aimerais bien te le laisser pour te faire plaisir, mais...

Sylvie est entrée dans la pièce pour débarrasser et a entendu la fin de la conversation. Elle découvre avec étonnement le nouveau visage de Claire. Puis elle propose :

— Si vous êtes vraiment trop à l'étroit avec les deux chiens, alors je vais déblayer le petit grenier et j'y installerai le lit de camp.

— C'est une bonne idée ! juge tante Cécile. Comme le grenier est sous les toits, il sera très difficile à des ravisseurs d'y accéder, et personne n'aura l'idée d'aller chercher un enfant là-haut !

— De toute façon, précise la cuisinière, l'escalier qui mène au grenier part de ma chambre. Je serai donc immédiatement avertie si quelqu'un cherche à passer par-là !

— Merci, Sylvie ! exulte la fille de

M. Martin. Chouquette, tu as entendu ? Tu dormiras sur mes pieds cette nuit !

François et Claude rentrent peu après. Cette dernière regarde son ennemie et reste interdite.

— Oh ! mais elle n'est pas si mal que ça, après tout...

— C'est même un beau garçon, ajoute son cousin.

— Où sont les nouveaux vêtements ? demande la petite blonde, réconfortée par l'intérêt qu'on lui porte.

Ils ouvrent les paquets et sortent un blouson imperméable bleu marine, deux shorts, un pull gris, et quelques polos colorés. L'invitée monte dans la chambre des filles pour se changer. Quand elle redescend, tout le monde la félicite :

— C'est super ! s'exclame Mick. Ton père, lui-même, ne te reconnaîtrait pas ! Il y a seulement une dernière chose : pour avoir l'air plus naturel, il faudra te salir un peu !

— Je n'aime pas les vêtements tachés, s'oppose Claire. Je préfère...

Mais personne ne sait ce qu'elle pense, car à ce moment la porte s'ouvre. Oncle Henri entre dans le salon et tonne :

— Il m'est impossible de travailler avec tout le boucan que vous faites !

Soudain, il aperçoit Claire et s'arrête net.

— Qui est-ce ? interroge-t-il. Vous avez invité un ami de plus ?

— C'est Claire ! déclare Annie en riant.

— Claire ? La fille de Charles ? Quelle transformation ! Avec cette coiffure et cette tenue, tout le monde te prendra pour un garçon ! Mais, par pitié, parlez moins fort !

Il regagne son bureau à grandes enjambées.

— Aujourd'hui, vous déjeunerez à la maison, annonce tante Cécile. Il est trop tard pour préparer le panier de pique-nique.

— On a le temps de se baigner ? questionne François en consultant sa montre.

— Oui ! mais je compte sur vous pour rentrer à midi et demi pile.

— Allons mettre nos maillots de bain ! s'écrie Claude en se précipitant vers l'escalier. Tu viens, Annie ?

Les filles grimpent les marches quatre à quatre et se mettent à fouiller dans les tiroirs de la commode.

— Je suis bien contente que Sylvie installe cette pleurnicheuse dans le grenier, marmonne la maîtresse de Dago.

— Ne sois pas si méchante ! Où sont nos affaires de plage ? Je ne les trouve pas. Pourtant, je suis sûre de les avoir rapportées ici...

Elles cherchent pendant dix minutes. Les garçons et Claire sont déjà sur la plage avec Chouquette quand les filles se mettent enfin en route.

Au bord de l'eau, le caniche garde les vêtements des garçons et de sa maîtresse. La petite chienne ose même gronder quand Dagobert s'en approche.

Claude ricane :

— Grogne aussi, Dago ! Tu ne vas pas te laisser marcher sur les pattes par cette mauviette ? Si tu grondes fort, tu verras comme elle aura peur !

Mais le chien fait semblant de ne rien comprendre. Il s'assied à distance respec-

tueuse du caniche et le regarde tristement, craignant d'avoir perdu son amitié.

— Où sont les autres ? demande Annie en scrutant la mer. Ah ! je vois trois têtes, là-bas. On dirait que Claire est allée se baigner avec mes frères !

Sa cousine a un geste de dépit.

— Eh bien, moi qui croyais qu'elle aurait peur des vagues...

Puis elle se lève et s'élance. Elle plonge dans les flots montants, et nage de toutes ses forces en direction des garçons et de leur nouvelle amie. Elle arrive tout essoufflée.

— Regarde comme Michel nage bien ! lance François. Quelle rapidité ! Si vous faites la course ensemble, je parie que tu perdras !

— Pas du tout ! proteste Claude avec véhémence.

Pourtant, méfiante, elle évite de provoquer une compétition avec sa rivale. Finalement, elle se résigne et choisit de s'amuser de bon cœur avec ses compagnons. Ils font des batailles d'écume, de la plongée sous-marine, et rient beaucoup

quand ils réussissent à s'attraper mutuellement les jambes... La journée passe ainsi gaiement.

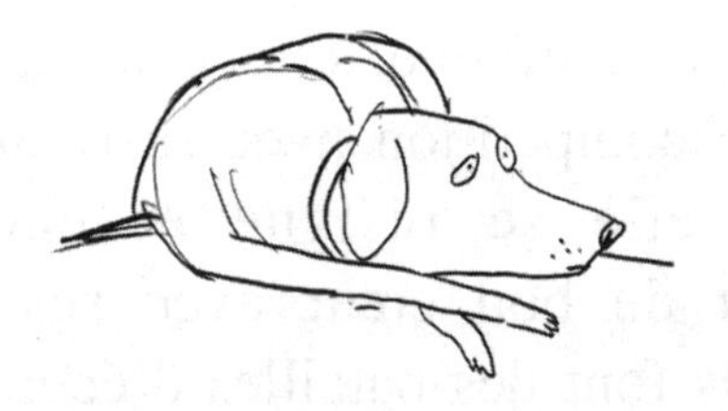

*chapitre 9*

# Un coup de téléphone inattendu

Claire s'habitue à Kernach et se plaît beaucoup en compagnie du Club des Cinq. La jalousie de Claude s'émousse au fur et à mesure que les jours passent. Pourtant, elle pardonne difficilement à la fillette d'être une nageuse imbattable ; en effet, celle-ci sait plonger et nager sous l'eau comme personne.

— Chez moi, à Lyon, il y a une grande piscine dans le jardin, et j'ai appris la brasse dès l'âge de deux ans !

La nouvelle venue mange autant que les autres, bien qu'elle paraisse plus fragile.

— Tu as un peu grossi, Michel ! estime tante Cécile une semaine plus tard, alors

qu'ils sont tous réunis pour le petit déjeuner. Et ta peau est plus bronzée. C'est très bien ! Tu ressembles de moins en moins à la petite fille blonde, aux longs cheveux et au teint pâle, qui est arrivée chez nous il y a huit jours. Tant mieux ! C'est exactement ce que souhaite ton père.

Quant au caniche, tout le monde l'adore. Claude elle-même ne peut s'empêcher de rire des cabrioles et des drôleries de Chouquette, qui, de plus, s'entend le mieux du monde avec Dagobert.

Les journées s'écoulent paisiblement ; les cinq enfants et les deux chiens passent tout leur temps dehors, à nager, à canoter, à pêcher, à explorer les grottes de la côte. Enfin, ils profitent pleinement de leurs belles vacances.

La petite convive manifeste souvent le désir de se rendre dans l'île de Kernach, mais la jeune propriétaire de l'îlot trouve toujours des prétextes pour retarder cette visite.

— Allez, Claude, sois sympa, dit Mick un matin. On a tous envie d'aller là-bas !

Pourquoi tu traînes des pieds ? C'est seulement pour ennuyer Claire, hein ?

Sa cousine a un geste de contrariété.

— Pas du tout, proteste-t-elle. Tu me prêtes toujours de mauvaises intentions. On ira demain.

Mais, le lendemain, un événement inattendu empêche la réalisation de ce projet. Oncle Henri reçoit un coup de téléphone qui le laisse tout bouleversé.

— Cécile, Cécile, où es-tu ? crie-t-il. Il faut que nous partions immédiatement. Immédiatement, tu entends ?

Sa femme accourt.

— Que se passe-t-il ?

— Charles Martin a trouvé une erreur dans nos calculs ! Comment est-il possible que nous nous soyons trompés ? s'exclame le savant en se frappant la tête de désespoir.

— Il faut vraiment que tu partes si vite ? Dis-lui plutôt de venir chez nous, Henri. Je m'arrangerai pour lui trouver un lit !

— J'y ai pensé. Il a refusé cette proposition parce que sa fille est sous notre toit. Étant donné les circonstances...

— Je comprends. Elle l'appellerait papa, et... Il a raison. Ce ne serait pas la peine de cacher si bien Claire... Si des ravisseurs suivaient la trace de ton ami, ils auraient vite fait de découvrir le pot aux roses.

— C'est exactement ce que je voulais t'expliquer. Il faut que nous allions voir Charles. Nous reviendrons dans deux jours.

— Mais pourquoi faut-il que je t'accompagne, Henri ? Vous n'avez pas besoin de moi pour refaire vos calculs !

— Tu dois impérativement venir ! insiste son époux. Tu sais que cette recherche est un dossier ultrasensible : elle a été commandée par le gouvernement, et doit rester confidentielle. Son importance explique d'ailleurs l'odieuse menace qui pèse sur Charles et sur sa fille... Eh bien, voici la stratégie que j'ai imaginée pour que les résultats demeurent protégés : il faut que tu emportes une partie des documents dans une valise à part. Nous voyagerons séparément. De cette façon, s'il m'arrivait quelque chose en chemin, la moitié des papiers arriveraient tout de même à bon port, avec toi !

— Oh ! tu me fais peur... Pourquoi t'arriverait-il quoi que ce soit ?

— On ne sait jamais... Regarde Charles : il est soumis à un terrible chantage ! Mais ne t'inquiète pas : si nous partons aujourd'hui, les bandits n'auront pas le temps de nous suivre.

— Et les enfants ? Je ne peux pas les laisser seuls.

— Sylvie est là ! Et nous ne serons partis que deux jours.

Tante Cécile réfléchit.

— C'est d'accord. Je t'accompagne. D'ailleurs, si tu veux mon impression, je commence à avoir des doutes au sujet de cette histoire d'enlèvement. Je crois que ton ami s'est affolé un peu vite. Bon, je vais préparer les bagages : un pour toi, et un pour moi. Tu te chargeras de la répartition des documents.

Quand les enfants reviennent à la villa pour le déjeuner, c'est la cuisinière qui leur apprend la nouvelle.

Les parents de Claude sont déjà partis, emportant deux valises qui renferment cha-

cune la moitié des précieux papiers de l'oncle Henri.

— Ça alors ! s'exclame François, surpris. J'espère qu'il n'est pas arrivé de catastrophe !

— Non, il n'y a eu qu'un coup de téléphone du père de la petite... euh ! du petit Michel. Il voulait rencontrer M. Dorsel de toute urgence pour une question de travail, explique Sylvie.

— Papa aurait dû venir ici ! s'indigne Claire.

— Surtout pas ! intervient Mick. Les bandits devineraient qui tu es réellement. Tu as été menacée d'enlèvement, ne l'oublie pas !

— C'est vrai... Je suis tellement bien ici, à Kernach, avec vous tous. Les jours passent sans qu'on s'en aperçoive !

— Il faut que vous soyez plus prudents que jamais, prévient la cuisinière. Faites ce que vous voudrez. Prenez le bateau, pique-niquez dehors ou rentrez déjeuner, comme vous voulez. Mais tenez-vous constamment sur vos gardes !

— C'est promis, assure Annie. On fera bien attention.

— Très bien. Pourquoi n'iriez-vous pas dans l'île de Kernach aujourd'hui ? Notre petit Michel en a tellement envie...

Claire sourit.

— On ira si le bateau est en état, répond Claude, à regret. Vous savez que Jean-Jacques est en train de le réparer.

Les enfants se rendent tous à l'endroit où le jeune homme travaille habituellement, mais il n'est pas là. Son père s'affaire un peu plus loin autour d'un autre bateau.

— Vous vouliez voir mon fils ? leur crie-t-il. Il est parti pêcher avec son oncle et ne rentrera que ce soir ; il m'a chargé de vous dire que la réparation n'est pas encore terminée, mais que votre canot sera prêt demain matin sans faute.

— Bon, merci... dit François.

Claire semble désappointée.

— Console-toi. Ce n'est que partie remise. On se rendra demain sur l'îlot.

— Non, réagit la fillette, toute triste. Il y aura encore un empêchement, ou bien

Claude trouvera une autre excuse pour ne pas y aller. Si j'avais à moi une aussi jolie petite île, j'irais l'habiter !

Les jeunes vacanciers retournent à la *Villa des Mouettes* et préparent, avec l'aide de Sylvie, un bon repas froid. Charles Martin vient de leur faire parvenir un gros paquet de friandises. Ils auront de quoi se régaler au dessert.

— Vous allez emporter tout ça ? demande la cuisinière avec effarement.

— Oui, mais on ne reviendra à la maison ni pour le déjeuner ni pour le goûter, explique Claude. On aura certainement une faim de loup !

Quelle agréable promenade ! Ils marchent longtemps et s'installent pour pique-niquer dans un bois de pins, au bord d'un ruisseau où ils mettent les bouteilles à rafraîchir. Comme il fait très chaud, tout le monde veut déjeuner avec les pieds dans l'eau...

Quand ils reviennent à la *Villa des Mouettes*, ils sont si fatigués qu'ils dînent rapidement et trouvent à peine la force de monter l'escalier pour aller se coucher.

— Faîtes comme vous vous voudrez, mais moi, demain, je ne me lèverai pas avant midi, décrète Mick.

— Oh ! mes pieds ! On a trop marché, gémit Claire.

Quand les deux cousines se retrouvent dans leur chambre, Annie va s'accouder un instant à la fenêtre. Elle admire le ciel étoilé et respire profondément l'air parfumé par les senteurs de la mer et par l'odeur des bois de pins.

— Quelle nuit calme ! soupire-t-elle. On va tous bien dormir. Mick a raison. Après une telle journée, pas question de se lever de bonne heure ! Je ne quitterai pas mon lit avant le déjeuner !

Mais la fillette se trompe. Au beau milieu de la nuit, elle devra garder l'œil grand ouvert !

*chapitre 10*

# Surprise dans la nuit

Tout est tranquille à la *Villa des Mouettes*. Les enfants dorment profondément. Dagobert aussi. Dans le grenier, le petit caniche, pareil à une pelote de laine noire, sommeille, roulé en boule sur un coin de l'édredon de Claire.

Un gros nuage, poussé par le vent du large, s'avance dans le ciel. L'une après l'autre, les étoiles s'éteignent. Le tonnerre gronde au loin. Bientôt, un bruit plus fort réveille Annie, ainsi que les deux chiens.

La fillette se soulève sur un coude. Elle se tourne vers la fenêtre ouverte et voit le ciel assombri.

« C'est un orage qui approche, pense-

t-elle. J'ai envie d'aller l'observer. Ce sera un spectacle magnifique sur la baie de Kernach. Et puis, j'ai si chaud ! Un peu d'oxygène me fera du bien. »

Elle se lève et se dirige sur la pointe des pieds vers la fenêtre, où elle s'appuie pour respirer l'air du dehors, qui fraîchit déjà. Le tonnerre gronde de nouveau, mais faiblement. Dagobert saute du lit de Claude et scrute fixement l'horizon.

Alors ils dressent tous deux l'oreille.

— Tiens... C'est le vrombissement d'un canot à moteur ! chuchote-t-elle. Quelle drôle d'idée de se promener si tard en mer ! Tu vois la lumière d'un bateau, Dagobert ? Moi, je ne distingue rien, il fait trop sombre.

Soudain, le silence revient. On n'entend plus que le doux clapotis des vagues sur la plage. Le canot a-t-il une panne ? Sinon, pourquoi ses occupants s'arrêtent-ils ainsi au milieu de l'eau ? Pourquoi n'abordent-ils pas sur le rivage ? D'après le son, l'embarcation doit en être assez éloignée.

À cet instant, vers le milieu de la baie, du côté de l'île de Kernach, elle voit une

faible lueur danser, çà et là, puis disparaître...

La benjamine des Cinq reste stupéfaite. Elle vient de comprendre.

— Ces gens sont sur l'île ! murmure-t-elle à Dagobert. Écoutons ! On les entendra peut-être repartir...

Mais elle a beau tendre l'oreille et écarquiller les yeux, aucun bruit ne lui parvient, aucune lumière ne perce plus les ténèbres.

« Pas possible... Quelqu'un est sur l'île de Claude... »

L'orage s'éloigne. La nuit redevient calme. Le gros nuage noir s'effiloche là-haut, et quelques étoiles traversent l'obscurité. Annie regagne son lit. Le chien saute sur les pieds de sa maîtresse et se couche en exhalant un soupir de satisfaction.

Le lendemain, en se réveillant, la fillette ne pense plus à cet incident. Mais lorsqu'elle entend Sylvie raconter qu'une violente tempête a éclaté sur une localité située à une trentaine de kilomètres de là,

occasionnant des dégâts importants, elle se souvient...

— Cette nuit, relate-t-elle, j'ai entendu un coup de tonnerre. Je me suis levée, avec l'espoir de contempler un beau spectacle. Mais quand j'étais à la fenêtre, j'ai entendu le bruit d'un canot à moteur, très loin dans la baie, et j'ai aperçu, l'espace d'une minute ou deux, une lumière mouvante qui brillait du côté de l'île de Kernach !

Sa cousine sursaute comme si elle venait de recevoir une décharge électrique.

— Quoi ? Qu'est-ce que tu dis ? Personne n'a le droit d'aller dans mon île ! Qu'est-ce qu'un bateau serait venu faire là au milieu de la nuit ? Tu as dû rêver !

— Peut-être... mais je ne le crois pas. En tout cas, je n'ai pas entendu l'embarcation s'éloigner.

— Tu aurais dû m'appeler !

— Tu dormais si bien que je n'ai pas voulu te déranger. D'ailleurs, j'ai bien fait, car tu n'aurais rien vu. Il faisait trop sombre. On ne voyait même pas les contours de

l'îlot. C'est pourquoi j'ai d'abord cru que le canot s'était arrêté en pleine mer.

— Espérons que ce ne sont pas des ravisseurs ! s'exclame Sylvie, qui apporte des tartines grillées et les dispose sur la table du petit déjeuner.

— Mais non ! se moque Mick. Qu'est-ce qu'ils iraient faire dans l'île de Kernach ?

— Nous surveiller ! réplique la cuisinière.

— C'est sûrement un rêve, tranche Claire. Annie a entendu le roulement du tonnerre dans son sommeil, et ce bruit s'est changé pour elle en celui d'un moteur... Ça arrive souvent quand on dort. Une nuit, j'ai entendu un robinet mal fermé qui coulait dans ma salle de bains, et j'ai cru que j'étais dans un kayak, sur les chutes du Niagara, dont j'avais admiré une photo le jour même !

Tout le monde s'esclaffe.

— J'espère que mon bateau est réparé, dit Claude. On ira voir ce qui se passe dans l'île. Et si jamais on y trouve des intrus, je lâche Dagobert sur eux !

— On n'y trouvera que des lapins, assure

Mick. Je me demande s'il y en a toujours autant... La dernière fois qu'on est allés dans l'île, ils étaient si nombreux qu'on aurait pu marcher dessus !

— Oui, mais on n'avait pas Dagobert avec nous, rappelle sa sœur. Les lapins ont peur de lui. Oh ! ce sera génial de retourner là-bas ! On racontera à Michel les aventures qu'on a vécues...

Après le déjeuner, ils vont tous faire leur lit et ranger leurs chambres.

La cuisinière monte voir les jeunes vacanciers.

— Vous voulez emporter un repas froid, ou vous préférez déjeuner à la maison ? demande-t-elle en passant la tête dans l'entrebâillement de la porte des garçons.

— Si le bateau est réparé, on piqueniquera dans l'île, répond François.

— Bon, tenez-moi au courant quand vous serez fixés.

Deux minutes plus tard, Claude fait également une apparition.

— Je vais voir si le canot est en état maintenant, annonce-t-elle. On pourra pré-

ciser à Sylvie si elle doit nous attendre à midi ou non. À tout à l'heure !

Ce n'est pas long. Quand elle revient, elle paraît déçue.

— Jean-Jacques n'a pas encore terminé, explique-t-elle. On ne pourra se servir du bateau qu'à deux heures. Donc, on déjeunera ici et ensuite on ira dans l'île. On emportera notre goûter.

— D'accord, approuvent ses compagnons.

— Si on allait se baigner ce matin ? suggère Mick. La marée est haute, il y a de belles vagues, on s'amusera bien !

Bientôt, les cinq enfants et les deux chiens se rendent sur la plage. Le temps est plus frais après l'orage de la nuit, mais le soleil brille de nouveau.

Tous plongent dans les rouleaux et nagent vite pour se réchauffer, car l'eau est froide. Ils organisent des courses de crawl et des concours d'apnée. Leurs compagnons à quatre pattes courent dans tous les sens sur le sable. Dagobert et Chouquette n'aiment pas beaucoup l'humidité. C'est pourquoi

tous deux se contentent de jouer sur le rivage. Ils manifestent une joie bruyante quand les enfants reviennent vers eux, essoufflés et se bousculant avec de grands éclats de rire... Tous s'étendent au soleil.

Au bout d'un moment, le vent se lève. Mick a froid et enfile un pull. Puis il reste assis, pour contempler la mer et, au milieu, l'île de Kernach, inondée de lumière. Tout à coup, le jeune garçon pousse une exclamation de surprise :

— Regardez vite !

Ses compagnons se relèvent vivement.

— Il y a quelqu'un sur l'îlot ! J'en suis sûr ! On nous observe à travers une longue-vue ! Vous ne voyez pas le soleil se réfléchir sur les verres ?

— C'est vrai ! confirme François. Qui peut bien nous espionner ?

— Quelqu'un sur mon territoire ? Il va voir ce qu'il va voir ! rugit Claude en montrant le poing. Pour le moment, faute de mieux, rendons-lui la pareille. Qui veut aller jusqu'à la villa pour y prendre mes jumelles ?

— J'y vais, propose l'aîné des Cinq. Elles sont où ?

— Dans l'armoire de ma chambre, en haut, à droite.

— Bravo ! Quel ordre ! Quelle précision !

Il s'éloigne à grands pas, tout en réfléchissant.

« Voilà qui est curieux... et assez inquiétant, pense-t-il. Pourquoi un inconnu surveille-t-il la plage de Kernach ? »

Plus de dix minutes passent. Enfin, il revient avec les jumelles et les tend à sa cousine.

— Tu en as mis, du temps ! lui reproche cette dernière.

— C'est de ta faute, je te signale ! L'étui était bien dans ton placard, mais en bas et à gauche, sous trois kilos de fouillis !

— Hein ? s'offusque la jeune fille. Pas du tout ! Mes affaires sont très bien rangées !

L'autre proteste. Pendant qu'ils discutent, Mick s'empare des lunettes et les ajuste en regardant l'île, qui lui paraît soudain toute proche.

— Tu vois quelque chose ? questionne Annie, inquiète.

Son frère reste un long moment silencieux. Tout le monde se tait pour entendre sa réponse.

— Non, rien... répond-il enfin, déçu. Je ne vois rien d'anormal. Il s'agit peut-être de touristes qui ont eu envie de débarquer dans l'île, pour s'y promener et y déjeuner.

— Et pourquoi nous épiaient-ils avec une longue-vue ?

Personne ne répond.

— Vous croyez vraiment qu'il est prudent d'emmener Michel là-bas cet après-midi ? interroge enfin Annie.

— Hmm... fait son frère aîné, pensif. Je vois ce que tu veux dire. Ce sont peut-être les ravisseurs qui nous espionnent...

— Oui ! renchérit Mick. Ils ont dû voir cinq enfants au lieu de quatre, et ils mènent une enquête au sujet du cinquième. S'ils ont une photo de Claire, ils doivent chercher une fille aux longs cheveux bouclés et...

— ... il n'y en a pas ! complète Annie.

Moi, mes cheveux sont raides. Les espions doivent être bien embêtés !

— Pourtant, il y a un indice qui peut les mettre sur la voie, murmure la fille de Charles Martin comme pour elle-même.

— Quoi ? demandent les autres.

D'un geste, la fillette désigne Chouquette qui se roule dans le sable, insouciante.

— Tu as raison... murmure François, épouvanté. Personne n'y a pensé. Pourtant, ce petit caniche noir suffit à nous trahir tous !

chapitre 11

# Dans l'île de Kernach

Désormais, Claude ne pense plus qu'à une chose : chasser l'intrus, ou les intrus, de son île !

Mick tente de la raisonner.

— D'abord, je te rappelle que le bateau ne sera prêt qu'à deux heures. Ensuite, il faut prendre le temps de réfléchir. Est-ce qu'on peut emmener Claire avec nous, alors qu'on ignore qui se trouve là-bas ?

— Allons-y sans elle, tranche sa cousine.

— Ce serait une grave erreur, poursuit le garçon. Si quelqu'un nous observe et constate qu'on est seulement quatre à bord du canot, il en déduira immédiatement que le numéro manquant est Claire. Il aura alors

la confirmation que le cinquième enfant de notre groupe est bien celui qu'il recherche. Il faut qu'on se rende là-bas tous ensemble ! Et si on aperçoit les espions, on pourra ensuite donner leur signalement à la police.

— Du calme ! intervient l'aîné du groupe. Il ne faut pas dramatiser parce qu'un inconnu a regardé la plage avec des jumelles... À mon avis, il s'agit tout simplement d'un touriste qui veut imiter Robinson Crusoé pendant quelques heures.

— Rappelle-toi que j'ai vu une lumière briller du côté de l'île, la nuit dernière, fait remarquer Annie.

— Tiens, c'est vrai ! J'avais oublié ce détail, reconnaît son frère.

Il jette un coup d'œil à sa montre et ajoute :

— Midi moins dix. Rentrons déjeuner. On ira ensuite chercher le bateau.

Les jeunes vacanciers prennent le chemin de la *Villa des Mouettes*.

— On saura bientôt qui est venu dans ton île, Claude ! assure Mick. On emmènera

Dagobert avec nous. Il n'y aura alors rien à craindre.

— Prenons aussi Chouquette, elle peut aussi être utile, plaide Claire. Elle a de petites dents aiguës, qui peuvent faire un carnage ! Un jour, un homme m'a bousculée dans la rue. Ma chienne s'est précipitée sur lui, lui a mordu la cheville et ne voulait plus lâcher prise !

Claude fait la moue et se détourne.

« Dagobert n'a vraiment pas besoin de l'aide de ce minuscule caniche ! » songe-t-elle.

Sylvie leur a préparé de gros biftecks aux pommes sautées. Comme entrée, des radis du jardin, accompagnés d'une salade préparée avec de belles tomates bien fermes, des cœurs de laitue et des œufs durs...

Pendant le repas, les enfants racontent ce qu'ils ont remarqué le matin même dans l'île.

— Vous vous souvenez de ce que votre tante a recommandé ? commente la cuisinière, inquiète. Il faut signaler à la police tout ce que vous repérez d'anormal. Vous

devriez prévenir le commissariat tout de suite.

— On le fera en rentrant de notre expédition, promet Claude. Il s'agit peut-être d'innocents touristes, et, dans ce cas, ça ne servira à rien de lancer l'alerte. On appellera les gendarmes si on trouve quelque chose d'intéressant.

— Vous avez tort, il faudrait téléphoner maintenant, souligne la jeune femme. Et puis, j'estime que vous ne devriez pas vous rendre sur l'îlot, s'il y a là-bas quelqu'un de dangereux.

— Ne t'inquiète pas ! On emmène Dago ! la rassure Mick.

— Et Chouquette aussi, s'empresse d'ajouter Claire.

La cuisinière n'insiste pas et disparaît pour aller chercher les framboises à la crème qu'elle a préparées pour le dessert. Elles sont si appétissantes dans leur grand plat fleuri que leur arrivée est saluée de cris d'enthousiasme.

— Mmm ! fait Annie. Ça a l'air exquis !

— J'espère qu'on ne t'enlèvera pas,

Sylvie ! ironise Claude. Qu'est-ce qu'on ferait sans toi ?

Quand ils ont terminé, ils retournent sur la plage. Jean-Jacques leur fait signe de loin.

— Le bateau est prêt ! crie-t-il. Vous partez tout de suite ? Alors je vais vous aider à embarquer.

Bientôt, les cinq enfants et les deux chiens sont installés dans le bateau de Claude.

Les garçons rament de toutes leurs forces en direction de l'île. Dagobert s'assoit à l'avant comme d'habitude, pose deux pattes sur le rebord du canot et regarde droit devant lui.

— Il se prend pour une figure de proue, comme on en trouve sur les vieux navires... commente Mick. Et voilà Chouquette qui veut en faire autant ! Attention de ne pas tomber, ma belle, tu pourrais te mouiller sérieusement, toi qui n'aimes pas l'eau. J'espère que tu sais nager, comme les autres chiens !

Le caniche s'installe auprès de son ami Dagobert. Ce dernier regarde approcher

l'îlot avec intérêt, parce qu'il sait qu'il y a là-bas des centaines de lapins.

Claire aussi dévore des yeux le petit bout de terre tandis qu'ils approchent. Ses camarades lui ont raconté des histoires tellement merveilleuses à son sujet ! Elle admire le château en ruine qui domine le territoire, et envie Claude d'être la maîtresse de ces lieux pleins de charme et de mystère.

Les vagues se brisent avec fracas sur les rochers qui défendent l'accès de l'île ; l'écume rejaillit très haut. La fille de M. Martin demande avec inquiétude :

— Comment aborder sans danger ? Je ne vois pas de passage praticable.

— Il y a une petite crique dans laquelle on peut débarquer, garantit la maîtresse de Dagobert. Tu vas voir !

Elle attrape le gouvernail et dirige très adroitement la barque parmi les récifs. Bientôt apparaît la petite baie annoncée. L'eau arrive doucement entre les roches qui abritent cette partie du rivage. Le bateau glisse sans peine jusque sur le sable. Mick

saute et tire l'embarcation sur la terre ferme. Puis il lance d'une voix forte :

— Bienvenue dans l'île de Kernach !

La nouvelle amie des Cinq éclate de rire. Elle se sent heureuse.

Le paysage la ravit.

Les jeunes aventuriers – Claude en tête – remontent la plage jusqu'aux rochers. Ils les escaladent et s'arrêtent en haut. Claire, toute surprise, s'écrie :

— Des lapins ! Vous croyez que je pourrai en caresser un ?

— Non, dit Annie. Ils sont assez sauvages. Ils se sauvent quand on s'approche trop près d'eux, mais ils rentrent rarement dans leur terrier. Ils nous connaissent et savent qu'on ne leur fera pas de mal. On vient souvent ici.

Chouquette observe les petites boules de poils d'un air ahuri. Elle reste près de sa maîtresse, le nez frémissant pour mieux percevoir leur odeur. De temps en temps, elle jette un coup d'œil à Dagobert.

Ce dernier paraît triste. Une visite à l'île de Kernach est toujours une rude épreuve

pour lui, car on lui défend de chasser les lapins et il ne s'en console pas.

— Pauvre Dag ! Regardez-le, lance François. Il a l'air désespéré. Chouquette aussi meurt d'envie de courir après ces bestioles, mais elle attend que Dago donne le signal. Elle est bien élevée !

Bien élevée ou non, la chienne en a vite assez.

L'un des lapins s'approche imprudemment : elle se jette en avant. L'animal, terrifié, fait un prodigieux saut en l'air. Alors commence la poursuite...

— Non ! hurle Claude. Je lui défends de chasser mes lapins ! Dag ! Va la chercher et ramène-la ici tout de suite !

À contrecœur, son fidèle compagnon rejoint le caniche, se met contre lui et le pousse pour le ramener vers la jeune fille.

— Tu es un bon chien ! félicite-t-elle, ravie de montrer aux autres – et surtout à Claire – combien son protégé est bien dressé.

Le petit groupe avance prudemment vers

le vieux château. Soudain, Mick s'arrête et désigne quelque chose au sol.

— Un morceau de sandwich... constate-t-il. Vous avez vu ? Le pain est frais... Il y a des gens ici, c'est certain maintenant !

Juste à ce moment un son vibrant déchire l'air : R-r-r-r-r ! C'est le bruit d'un canot à moteur qui démarre !

— C'est ce vrombissement que j'ai entendu la nuit dernière ! assure Annie.

— Les espions essaient sans doute de s'échapper ! analyse François. Vite, courons de l'autre côté de l'île ! On réussira peut-être à les voir !

*chapitre 12*

# Indices

Les enfants, avec les deux chiens qui aboient et bondissent autour d'eux, traversent l'île à toutes jambes et gagnent le rivage qui fait face au large. Il y a là de gros récifs sur lesquels les vagues se jettent avec fureur.

— Le voilà, le canot à moteur ! hurle Claire.

Ils voient tous le bateau qui s'éloigne très rapidement.

— Où sont les jumelles ? On les a prises avec nous ? demande Annie.

Hélas ! personne n'a songé à les emporter.

— Dommage ! soupire Mick. Elles nous

auraient permis de lire le nom du bateau et peut-être même d'apercevoir les hommes qui sont dedans.

— C'est sans doute la lumière de leur lampe de poche que tu as vue sur l'île la nuit dernière, dit François à sa sœur. Mais on n'est pas sûrs que c'est bien Claire qu'ils recherchent... Il s'agit peut-être d'autre chose ?

— Faisons le tour de l'île pour voir si on trouve un indice intéressant, décide Annie. Le bateau est loin maintenant.

Ils marchent en examinant le sol et tout ce qui les entoure, buissons et plantes ; rien ne retient leur attention. Quand ils arrivent près du vieux château en ruine, la nouvelle recrue des Cinq contemple la masse imposante qui se dresse devant elle. Des choucas volent tout autour et lancent de temps à autre leur cri discordant.

— Autrefois, mon château était entouré de murs épais, raconte Claude d'une voix contenue. Deux hautes tours s'élevaient dans le ciel. L'une d'elles est délabrée, comme on

peut le constater, mais l'autre est en assez bon état. Entrons !

Claire, muette de surprise, suit ses amis. Ainsi, cet îlot si joli et ce château de légende appartiennent vraiment à la maîtresse de Dago ? Elle peut à peine le croire...

Les enfants passent la porte d'entrée et accèdent à une grande salle nue, aux murs de pierre. Il y fait froid et sombre, car seules deux meurtrières laissent passer un peu de jour.

— Comme c'est mystérieux, murmure la fille de Charles Martin. Cette vieille demeure semble sommeiller et rêver de l'époque où elle était habitée... J'ai peur que notre présence ne lui déplaise...

— Allons, reviens sur terre ! la taquine Mick.

La petite suit ses compagnons à travers un dédale de salles plus ou moins abîmées par le temps, les unes sans plafond, les autres aux parois écroulées. Claude lui fait visiter l'antique bâtisse de très bon cœur.

— Viens, je vais te montrer les oubliettes !

— Il y a des oubliettes ? Génial !

Comme ils traversent la cour pavée, Dagobert s'arrête net. Son poil se hérisse et il se met à grogner. Les jeunes aventuriers, inquiets, entourent le chien, qui visiblement signale un danger, et attendent de lui une indication plus précise.

— Qu'est-ce qu'il y a, Dag ? demande sa maîtresse, tout bas.

Le museau de l'animal pointe en direction de la petite crique où ils ont abordé quelques minutes plus tôt.

— Il doit y avoir quelqu'un là-bas, souffle Annie. Espérons qu'il ne nous prendra pas notre bateau !

Claude étouffe un cri. Son bateau ! Son précieux bateau ! De toutes ses forces, elle se met à courir ; son fidèle compagnon s'élance sur ses talons. En trois foulées, il la dépasse, pour faire face au danger le premier.

— Reviens, Claude ! crie François. Tu ne sais pas ce que tu vas trouver là-bas ! Tu es folle ! Attends-nous, au moins !

Mais sa cousine ne l'écoute pas. Elle esca-

lade les rochers et arrive sur la petite plage. Là, elle s'arrête, toute surprise...

Deux gendarmes s'avancent sur la grève. Leur vedette est sagement amarrée à côté du canot des Cinq.

Ils saluent la jeune fille, qu'ils connaissent bien :

— Bonjour !

— Bonjour, répond l'adolescente sans empressement. Qu'est-ce que vous faites ici ?

— Nous avons été prévenus que des inconnus s'étaient introduits dans l'île, explique le brigadier-chef.

— Ah ? Qui a pu téléphoner ?

Les autres enfants arrivent en courant, Mick en tête. Il a entendu la dernière phrase et a tout deviné :

— Ce ne peut être que Sylvie ! Souviens-toi qu'elle a essayé de nous dissuader de venir seuls ici. Elle nous a conseillé d'appeler le commissariat.

— Exact ! confirment les deux hommes. Nous sommes venus nous rendre compte de

ce qui se passait. Avez-vous rencontré quelqu'un depuis votre arrivée sur l'île ?

François raconte qu'ils ont tout d'abord trouvé un morceau de sandwich, puis vu s'éloigner une embarcation motorisée...

— Ah ! lâchent ensemble les gendarmes.

L'un d'eux paraît réfléchir quelques instants et ajoute d'un air soucieux :

— La nuit dernière, Maurot, qui est avec moi, a entendu un canot à moteur au loin dans la baie !

— Moi aussi, intervient Annie. Et ce matin on a aperçu dans l'île quelqu'un qui examinait la plage avec des jumelles.

— Vraiment ! s'exclament les deux collègues, en échangeant un coup d'œil.

— Vous avez eu raison d'emmener des chiens avec vous, déclare Maurot. Nous allons faire le tour de l'île avant de rentrer. Et surtout, les enfants, téléphonez-nous s'il y a du nouveau !

Ils s'éloignent à pas lents, les yeux rivés au sol. Bientôt, ils découvrent les bouts de pain frais et les ramassent prudemment.

— Il vaut mieux les laisser faire leur tra-

vail tranquillement, annonce Claude à voix basse. Je pense qu'ils en ont bien pour une heure. Reprenons notre bateau et allons goûter dans une anse de la côte ; ce sera plus drôle !

Ils grimpent donc dans leur barque et les garçons prennent les rames. Chouquette, qui paraît apprécier les voyages sur l'eau plus que les baignades, sautille d'un bout à l'autre du canot, suivie du gros Dagobert, qui bouscule tout le monde sur son passage. Mick se fâche.

— Restez tranquilles ! Sinon, vous allez nous faire chavirer !

Les vagues, très fortes dans le secteur des rochers, secouent sérieusement l'embarcation. Claire pâlit. Annie s'en aperçoit.

— Tu ne te sens pas bien ? questionne-t-elle. Tu ne vas pas être malade, au moins ?

— Non, non... assure la fillette qui ne veut pas avouer qu'elle souffre du mal de mer. Je suis fatiguée parce que... parce que j'ai escaladé les rochers trop vite. Dès qu'on sera revenus dans les eaux calmes, ça ira mieux.

Mais, deux minutes plus tard, elle blêmit d'une façon inquiétante. Les Cinq décident de regagner aussitôt la plage de Kernach, pour abréger le supplice de leur amie.

Quand tout le monde a débarqué, ils attaquent le copieux goûter que leur a préparé Sylvie : des biscuits au chocolat, de la brioche, de la confiture de fraises et de bons fruits juteux. La maîtresse de Chouquette marche un peu puis revient, tout à fait rétablie.

Lorsqu'ils ont avalé les derniers gâteaux secs, Annie déclare :

— Je vais acheter une glace chez la marchande ambulante. Elle a ouvert son stand un peu plus loin sur la plage, je vois son parasol. Quelqu'un d'autre en veut ?

Chacun décide qu'il peut encore ingurgiter une ou deux boules glacées. La benjamine du groupe se met en route avec Chouquette, qui manifeste le désir de l'accompagner.

— Sept glaces, s'il vous plaît ! demande-t-elle à la vendeuse.

— Sept ? D'habitude, vous en prenez cinq.

— Oui, mais on a deux nouvelles recrues : un enfant et un chien.

— Tiens. Ça me rappelle qu'un homme est venu ici hier. Il m'a posé quelques questions au sujet de votre oncle, qu'il connaît. Il voulait savoir combien d'enfants séjournaient actuellement à la *Villa des Mouettes*. Je lui ai dit que vous n'étiez que quatre. Ce monsieur a paru très surpris. Il m'a demandé s'il n'y avait pas chez les Dorsel une petite fille de plus.

— Ça alors ! s'écrie Annie, stupéfaite. Vraiment ? Ce monsieur est bien curieux ! Qu'est-ce que vous avez répondu ?

— Que les *Mouettes* accueillent seulement deux garçons et deux filles, dont l'une aime s'habiller en garçon.

La fillette est soulagée de constater que la marchande ignore la présence de Claire parmi eux.

— Comment était cet homme ?

La commerçante hésite quelques instants. Elle essaie de se souvenir.

— Il n'avait rien de particulier, articule-t-elle enfin. Comme beaucoup de touristes, il portait des lunettes noires. J'ai remarqué une grosse chevalière à sa main droite. C'est tout ce que je peux vous dire à son sujet.

— Si quelqu'un d'autre vous demande des renseignements sur nous, dites qu'on a avec nous un ami des garçons, qui s'appelle Michel, lance Annie. Au revoir, madame !

Elle s'empresse de rejoindre ses compagnons pour leur apprendre cette nouvelle. L'homme en question fait-il partie d'une bande ou agit-il seul ? S'est-il rendu dans l'île pour les observer quand ils jouaient sur la plage ? Se trouvait-il dans le canot à moteur que les enfants ont vu s'éloigner une heure plus tôt ? En remuant ces pensées dans sa tête, Annie ne se sent pas tellement rassurée.

Elle rapporte aux autres les paroles de la vendeuse, tandis qu'ils dégustent leurs cornets, assis sur la grève.

Dagobert avale sa part d'un seul coup et se met à observer patiemment Chouquette,

qui lèche la sienne délicatement ; il espère qu'elle en laissera un peu.

— Il n'y a plus aucun doute, conclut Mick. Cet homme faisait une enquête pour savoir si Claire se trouvait bien chez nous.

— Les bandits sont donc sur la bonne piste... observe François. Ça devient dangereux...

— Heureusement, ajoute Claire, les parents de Claude rentrent demain. Je préfère les savoir auprès de nous. On leur racontera tout. Ils sauront ce qu'il faut faire.

— J'espère que nos ennemis ne sont pas au courant de l'absence de tante Cécile et oncle Henri, grommelle Mick, très inquiet. À partir d'aujourd'hui, soyons extrêmement vigilants. Je me demande s'il est prudent que Clai... euh... que Michel reste ici avec nous ?

— On verra ce qu'en pensent maman et papa, conclut sa cousine.

Le soir, ils mettent Sylvie au courant de ce qui s'est passé dans l'île.

— Tu as téléphoné à la police sans nous prévenir, dit François d'un ton de reproche. On a eu une peur bleue, tu sais !

— Oui, c'est moi qui ai appelé le commissariat, et j'ai bien fait ! réagit la cuisinière, visiblement paniquée. Le brigadier-chef m'a dit qu'il faudrait désormais verrouiller soigneusement les volets et les fenêtres pendant la nuit, même si nous devons souffrir de la chaleur.

— Ce n'est pas un peu excessif ? questionne Claude.

— Certainement pas ! M. et Mme Dorsel vous ont placés sous ma responsabilité pendant une durée indéterminée, je ne veux pas courir le moindre risque !

— Maman et papa ne sont pas partis pour une durée indéterminée, voyons. Ils rentrent demain.

— Eh, non ! rétorque la jeune femme. Ta mère a téléphoné tout à l'heure : la voie ferrée qui relie Kernach à la ville où est installé M. Martin a été très endommagée par la tempête d'hier soir. Tes parents sont bloqués là-bas. Ils rentreront quand la circulation sera rétablie !

*chapitre 13*

# Le choc !

En entendant cette nouvelle, les enfants sont tous consternés.

— Vous comprenez pourquoi je veux être prudente, maintenant ? reprend Sylvie. Claude, je voudrais que tu me prêtes Dagobert pour la nuit. Je vais le poster dans ma chambre, au pied du petit escalier qui mène au grenier où dort Claire.

— C'est une bonne idée, approuve François. Personne ne pourra l'enlever sous l'œil de ce terrible gardien !

Prise au dépourvu, sa cousine ne trouve aucune excuse valable pour refuser le service que lui demande la cuisinière.

— D'accord, marmonne-t-elle finalement, d'un ton contrarié.

Ce soir-là, tout le monde est nerveux. Après le dîner, les garçons ferment les volets, malgré la chaleur étouffante. Mick déconseille à Claire de sortir, même quelques minutes. Il emmène lui-même Chouquette dans le jardin pour l'indispensable promenade du soir.

Tandis qu'il parcourt l'allée déjà sombre, il regarde autour de lui avec une attention soutenue, prêt à bondir vers la maison si quelque chose bouge.

Quand il revient, ses compagnons viennent de débuter une partie de cartes. Ils jouent d'abord sans entrain. Mais, au bout d'un quart d'heure, les enfants ont retrouvé leur enthousiasme. Tous rient de la malchance de Claude. Seul François reste sur ses gardes et tend souvent l'oreille.

— Tu vas finir par nous donner la frousse, affirme Annie. Qu'il fait chaud ici ! On ne pourrait pas ouvrir quelques minutes, pour rafraîchir un peu l'air ? Dagobert grognera si un intrus approche de la maison...

— D'accord, accepte son frère aîné après une assez longue hésitation.

Il va ouvrir les volets et les fenêtres. La lumière du salon éclaire un coin du jardin enseveli dans l'ombre.

— Ouf ! Je me sens mieux, soupire Annie en essuyant son front moite.

La partie continue. Ils jouent, assis en rond autour de la table. Claude est en face de la vitre ; Claire, à sa droite, s'initie aux mystères de ce nouveau jeu de cartes. Avec ses cheveux à peine ondulés, coupés court, elle ressemble à un gentil petit garçon bien sérieux.

— C'est à toi, Mick ! lance la maîtresse de Dagobert. Réveille-toi, tu es lent, ce soir !

En attendant que son cousin se décide, elle plonge machinalement son regard dans les ténèbres du jardin.

Soudain, elle fait claquer ses cartes sur la table et se dresse en poussant un cri. Tout le monde sursaute.

— Qu'est-ce qu'il y a, Claude ? demande François d'une voix angoissée.

— Un homme ! Dehors ! Il s'est appro-

ché assez près pour que son visage soit éclairé par la lumière du lustre, puis il a disparu dans l'ombre... Dago ! Dago ! Attaque !

Mais le chien n'est pas là. Chouquette non plus. Furieuse, l'adolescente hurle à pleine voix :

— Dagobert ! Viens ici tout de suite ! Cet homme va s'enfuir...

On l'entend aboyer dans l'entrée. Il pénètre d'un bond dans le salon, suivi du caniche.

— Tu étais où, triple idiot ? gronde la jeune fille. Saute par la fenêtre, cours après l'homme qui est là, cherche, trouve-le !

L'animal écoute les ordres en remuant les oreilles, prend son élan et disparaît dans le jardin. La chienne veut l'imiter, mais elle est trop petite. Elle retombe sur le parquet du salon, en jappant de désespoir ; comme elle tient à suivre son ami, elle saute de nouveau, sans plus de succès. Sylvie arrive, affolée par tout ce bruit.

— Qu'est-ce qui se passe ? s'égosille-t-elle.

— Silence ! lance soudain Mick. Taisez-vous tous et tendez l'oreille !

Le calme revient comme par enchantement.

Alors, on entend le bruit d'une voiture qui s'éloigne sur la route.

— L'inconnu est parti ! conclut l'aîné des Cinq en se laissant tomber sur une chaise.

— J'ai les jambes coupées comme si j'avais couru un marathon... déclare Claire. J'ai eu tellement peur !

À ce moment, Dagobert revient par la fenêtre, et les enfants sursautent une fois de plus.

— Alors ? reprend la cuisinière, tremblante et livide. Il est arrivé quelque chose ?

Personne n'a le temps de lui répondre. Claude entre dans une rage épouvantable contre son chien ; elle l'abreuve de reproches. Le pauvre animal écoute d'un air piteux, l'oreille basse.

— Où étais-tu ? vocifère-t-elle. Je ne t'avais pas autorisé à quitter le salon ! Tu m'as laissée tomber quand j'avais le plus

besoin de toi ! Tu me fais honte ! Quand je pense que tu aurais pu attraper ce bandit !

Voyant l'air malheureux de Dago, Claire s'approche et dit d'un ton suppliant :

— Arrête de le gronder. Regarde-le ! Tu as un cœur de pierre ?

L'autre se retourne brusquement.

— Eh ! toi, laisse-moi disputer mon chien comme je le veux. Et va secouer le tien aussi, il en a grand besoin ! Je suis sûre que Dagobert a encore voulu suivre ton affreux caniche jusque dans la cuisine, comme il le fait si souvent ! Alors, à qui la faute ?

— Claude ! coupe Sylvie. Ta colère est parfaitement inutile. Calme-toi et explique-nous exactement ce que tu as vu.

L'adolescente regarde la jeune femme d'un œil mauvais. Alors, Dagobert émet un faible gémissement. Il est tout bouleversé d'avoir entendu sa chère petite maîtresse le réprimander avec tant d'emportement. Il cherche ce qu'il a pu faire pour lui déplaire et ne trouve pas.

— Oh ! Dagobert ! Excuse-moi ! s'émeut-elle soudain.

Elle s'agenouille près de lui et le serre dans ses bras.

— Ne pleure pas... poursuit-elle. Arrête d'avoir de la peine. J'ai beaucoup crié après toi, mon pauvre chéri ? Tu sais, je me suis fâchée parce qu'on a raté l'occasion d'attraper ce type qui nous espionnait. Dag, c'est fini ! N'y pensons plus !

L'animal est très soulagé d'entendre ce discours. Il lèche la main de son amie pour lui montrer qu'il comprend, et se couche à ses pieds.

La cuisinière cherche toujours à connaître la raison de toute cette agitation. Impatiente, elle tape sur la table pour attirer l'attention et obtient enfin qu'on lui relate l'événement de la soirée. Elle scrute dehors, redoutant d'apercevoir dans le jardin des ombres suspectes. Puis elle se hâte de fermer les volets.

— Allez tous vous coucher, ordonne-t-elle. Je vais faire le tour de la maison pour m'assurer que les portes et les fenêtres sont bien fermées partout.

Dagobert monte au dernier étage de la maison avec Sylvie et Claire. Cette nuit, il

doit monter la garde au pied de l'escalier qui mène au grenier où couche la fille de Charles Martin. Inquiet, il se demande si Claude lui en veut encore. Il préférerait dormir, comme chaque nuit, à ses pieds !

La cuisinière dit « bonne nuit » à Claire. Puis elle redescend dans sa propre chambre, dont elle ferme les volets.

« Maintenant, nous sommes en sécurité ! » pense-t-elle.

La chaleur lourde qui règne ce soir-là fait vivement regretter aux enfants de ne pouvoir dormir la fenêtre ouverte. Claude regrette que son chien ne soit pas auprès d'elle comme d'habitude, surtout ce soir... Elle s'allonge sur son lit, en proie au remords... Comment a-t-elle pu se mettre en colère et gronder si fort son fidèle compagnon ?

— Tu crois que j'ai vraiment fait de la peine à Dagobert ? demande-t-elle à Annie, quand celle-ci revient de la salle de bains.

— Oui, assure sa cousine. Heureusement, les animaux ne sont pas rancuniers. Mais tu as tort de t'emporter parfois si fort...

— Oh ! ça va, hein ! Ne me fais pas la morale, s'il te plaît. Je ne suis pas aussi douce que toi, d'accord... j'ai un caractère un peu enflammé, c'est tout !

Après un instant de silence, elle reprend :

— J'ai bien envie de me lever pour aller dire bonsoir à Dago.

— Oh ! Claude... geint la benjamine des Cinq, sur le point de s'endormir. Si tu vas frapper à la porte de Sylvie, tu lui causeras une peur bleue. Elle va s'imaginer que c'est un bandit.

L'autre ne répond pas. Elle se sent nerveuse.

Annie dort déjà depuis un bon moment quand sa cousine entend une porte s'ouvrir au-dessus d'elle. Que se passe-t-il ? Est-ce la cuisinière ou quelqu'un d'autre ? Des pas descendent l'escalier. On frappe à la porte.

— Qui est là ? demande Claude.

— Moi, Sylvie ! Je vous amène Chouquette. Les deux chiens n'arrêtent pas de jouer ensemble et c'est impossible de fermer l'œil. Tu veux bien prendre le caniche avec toi ?

— Et zut ! grommelle l'adolescente en se levant.

Elle ouvre.

— Alors, Dag est turbulent ? interroge-t-elle.

— Oui ! Toutes les deux minutes, il entreprend de grimper l'escalier qui conduit au grenier, pour aller retrouver le caniche.

Claude considère la boule de poils noire que la jeune femme lui fourre dans les bras, et pousse un gros soupir. Elle aurait tant préféré qu'on lui rende son protégé...

La jeune femme se retire sur la pointe des pieds. Chouquette gémit doucement et s'agite dans les bras de Claude. Elle n'éprouve pas beaucoup de sympathie pour cette dernière. Quand la jeune fille la pose à terre, elle se met à courir à travers la chambre en poussant des plaintes aiguës. Annie se réveille.

— Qu'est-ce qui se passe encore ? questionne-t-elle. Tiens ! Chouquette est ici ?

Sa cousine, d'assez mauvaise humeur, lui explique ce qui vient d'arriver.

— J'espère que cette stupide petite

chienne va se calmer et rester tranquille, ajoute-t-elle. Si elle continue à pleurnicher et à tourner en rond, on ne réussira jamais à dormir !

Mais Chouquette ne veut rien entendre. Elle se met à geindre de plus en plus fort. Puis elle saute sur le lit de Claude et atterrit sur l'estomac de l'adolescente, qui en a assez.

— Espèce d'imbécile ! gronde-t-elle en se levant. Puisque ça continue, je vais t'emmener dans le jardin et te fourrer dans la niche de Dagobert.

Elle enfile hâtivement sa robe de chambre sur son pyjama, attrape le remuant petit animal et quitte la pièce sur la pointe des pieds.

Claude descend l'escalier et arrive à la porte qui s'ouvre sur l'extérieur. Elle la déverrouille, fait tourner la clef dans la serrure et sort...

Un léger coup de vent fait voleter ses boucles.

Chouquette cesse de pleurer, lève le museau et soudain se raidit.

— Grrrrr... fait-elle.

La jeune fille comprend aussitôt qu'un danger la menace et veut battre en retraite. Trop tard ! Une lumière l'aveugle, un bâillon étouffe son cri...

— C'est elle ! lance une voix grave. J'en suis sûr ! C'est son caniche. Qu'est-ce qu'on fait de cette bestiole ?

— Balance-la là-dedans ! répond un autre homme.

La chienne, trop effrayée pour émettre un son, est brutalement poussée dans la niche, et enfermée. Claude se débat de toutes ses forces et essaie vainement d'appeler à l'aide. Elle se sent soulevée et emportée rapidement.

Chouquette n'arrête pas de gémir dans la niche. Mais tout le monde dort si profondément à la *Villa des Mouettes* que personne ne l'entend, pas plus que la porte du jardin, que les bandits ont négligé de refermer, et qui claque tout le reste de la nuit, au gré du vent...

*chapitre 14*

# Où est Claude ?

Le lendemain matin, Sylvie descend comme d'habitude, vers sept heures et demie. Claire s'éveille peu de temps après et pense aussitôt à Chouquette. Elle saute de son lit, dévale l'escalier et va frapper à la porte de la chambre des deux cousines.

— Entre ! crie Annie, arrachée à son rêve.

— Salut ! Je suis venue chercher ma chienne. Mais... où est Claude ?

La benjamine des Cinq considère avec étonnement le lit vide à côté d'elle, et répond :

— Je n'en sais rien. Attends... Laisse-moi réfléchir. Je me souviens qu'au milieu de la nuit elle est descendue pour installer Chou-

quette dans la niche. Ton caniche faisait un tel boucan qu'on ne pouvait pas dormir...

— La pauvre petite ! Elle n'est pas habituée à coucher dehors. Enfin ! Ta cousine est sans doute allée la chercher. Je vais prendre une douche et m'habiller. Le temps est splendide ; si on allait se baigner avant le petit déjeuner ?

— Pourquoi pas ? C'est tellement agréable, le matin de bonne heure...

Mick et François sont déjà levés ; ils acceptent volontiers de prendre un bain sans plus attendre. Dans le jardin, ils trouvent Claire qui vient de délivrer sa chienne. Celle-ci jappe joyeusement et sautille autour de sa maîtresse.

Dagobert s'approche des enfants. Il émet une sorte de grognement pour attirer leur attention.

— Qu'est-ce qu'il y a, Dag ? Tu as l'air bizarre ! commente François.

— Ouah ! ouah ! fait l'animal.

— Tu n'as pas trouvé Claude ? lui demande Annie, surprise. Elle est peut-être déjà partie se baigner ?

— C’est bien possible, intervient la cuisinière, qui sort dans le jardin pour étendre du linge. Quand je me suis levée, la porte du jardin claquait au vent.

— Alors, elle doit être à la plage... conclut la fillette, vaguement inquiète.

Elle trouve étrange que sa cousine ne lui ait pas demandé de l’accompagner, comme elle le fait d’habitude.

Les quatre enfants, suivis des chiens, gagnent aussitôt le bord de mer. Dagobert parcourt le rivage dans tous les sens. Il semble désorienté.

— Je ne vois pas trace de notre cousine, déclare Mick, très surpris. Pas de vêtements posés sur le sable, personne dans l’eau... Ce qu’il y a de sûr, c’est qu’elle n’est pas venue ici. Sinon, on retrouverait au moins ses sandales et sa serviette. Elle n’est pas non plus partie en bateau : le canot est là-bas, amarré à son emplacement habituel.

— De toute façon, elle ne serait pas sortie pour se baigner sans me le dire, affirme Annie avec force. Et puis, je me serais certainement réveillée un court instant si elle

était revenue après avoir mis Chouquette dans la niche. Oh ! elle a dû se faire enlever cette nuit, quand elle a emmené le caniche dehors !

— C'est possible, acquiesce François. On sait qu'un inconnu rôdait autour de la maison hier soir, puisque Claude l'a vu. Il faut retourner chez nous pour examiner les lieux avec soin. On trouvera peut-être un indice dans le jardin.

Ils font demi-tour, la mine soucieuse.

Quand ils approchent de la niche, Claire laisse échapper une exclamation de surprise ; elle se penche et ramasse quelque chose. Sans un mot, elle montre sa trouvaille à ses compagnons.

— Qu'est-ce que c'est ? Mais... c'est une ceinture rouge ! dit Mick. La ceinture de la robe de chambre de notre cousine ! Voilà une preuve ! Claude a été enlevée quand elle est venue ici avec Chouquette !

La fille de Charles Martin fond en larmes.

— Ils l'ont kidnappée à ma place ! Elle transportait ma chienne... Ils doivent savoir que je possède un petit caniche noir... Et

puis, elle a les cheveux courts et s'habille en garçon, comme moi... ajoute-t-elle d'une voix entrecoupée de sanglots.

— Tu as sans doute raison, reconnaît l'aîné des Cinq. Les ravisseurs devaient savoir qu'on avait transformé ton apparence. Ils cherchaient une fille à l'allure masculine. Claude répondait exactement à ce signalement ; et pour couronner le tout, elle était accompagnée de Chouquette ! Oui, elle a été enlevée à ta place !

— Que vont faire les bandits ?

— À mon avis, ils feront parvenir à ton père un message l'informant que tu as été kidnappée. Ils expliqueront qu'aucun mal ne sera fait à sa fille s'il livre les informations qu'on lui demande...

— C'est-à-dire s'il révèle ses secrets scientifiques... achève Claire. Pauvre papa ! Quelle horrible situation ! J'espère que ces gangsters vont vite s'apercevoir qu'ils ont enlevé la mauvaise personne. À votre avis, qu'est-ce qu'ils feront quand ils se rendront compte de leur erreur ?

— Ils essaieront peut-être de faire chan-

ter oncle Henri... avance Mick. Mais il n'est pas en mesure de leur donner tous les renseignements qu'ils souhaitent.

— Tu ne crois pas qu'ils vont plutôt revenir à la charge et tenter de s'emparer de la vraie Claire le plus rapidement possible ? questionne sa sœur.

— C'est probable... opine François. Allons voir Sylvie. Il faut réfléchir et prendre une décision. Une chose est sûre : Claire n'est plus en sécurité chez nous...

Cette dernière montre un petit visage bouleversé. La disparition de Claude lui rend évident le danger qu'elle court elle-même. Jusqu'alors, elle n'y a cru qu'à moitié. Brusquement, elle se retourne et regarde autour d'elle, comme si elle s'attendait à voir quelqu'un bondir d'un buisson...

— Il n'y a personne ici pour le moment, la rassure Mick. Garde ton calme. mais il vaut mieux que tu rentres à la maison.

La petite court vers la demeure, comme si elle avait quelqu'un à ses trousses.

Les deux garçons et Annie la suivent plus

lentement. François ferme à clef la porte qui donne sur le jardin.

Quand la cuisinière apprend que sa petite protégée a été enlevée, elle est bouleversée. Elle se met à pleurer, en imaginant la détresse de la jeune fille et l'inquiétude de Cécile et Henri Dorsel quand ils apprendront la terrible nouvelle.

— Je vous avais pourtant bien recommandé de fermer tout soigneusement et de rester enfermés dans la maison... hoquette-t-elle.

Mick l'interrompt :

— Écoute, Sylvie. Il y a beaucoup de choses à faire. Tout d'abord, alerter le brigadier. Ensuite, prévenir oncle Henri et tante Cécile... Et prendre une décision au sujet de Claire. Il faudra sans doute la cacher ailleurs qu'ici.

— C'est sûr ! confirme la jeune femme en s'essuyant les yeux avec son tablier.

Elle se redresse sur sa chaise.

— Laissez-moi réfléchir, j'ai peut-être une idée...

Après une minute, sa figure s'éclaire.

— Je sais où nous pourrions l'emmener pour la mettre à l'abri ! Vous vous souvenez de Jo, la petite gitane qui a partagé quelques-unes de vos aventures[1] ?

— Bien sûr ! répondent les enfants en chœur.

— Elle vit chez Maria, la cuisinière qui travaillait ici avant toi ! ajoute Annie.

— Oui. Si on la mettait au courant de tout ce qui se passe ici, je suis sûre qu'elle accepterait de prendre Claire chez elle. Là-bas, dans son village, il ne se passe jamais rien. Et personne ne s'étonnerait qu'il y ait une fillette de plus dans sa maison, car Maria accueille souvent des amies de Jo.

— Excellente idée ! approuve François. Il faut que tu l'appelles tout de suite, et que tu préviennes la police de cette nouvelle situation.

La jeune femme se dirige vers le téléphone. Après quelques minutes de conversation, elle raccroche et annonce :

1. Voir *Le Club des Cinq pris au piège* et *Le Club des Cinq et le château de Mauclerc*, dans la même collection.

— Maria est d'accord pour accueillir la petite. Je vais l'accompagner là-bas en taxi. Ce sera plus sûr que de prendre le car. Claire, rassemble quelques affaires dans une valise !

La fille de Charles Martin ne surmonte pas sa frayeur. L'idée de quitter ses nouveaux amis lui déplaît.

Annie s'aperçoit de son désarroi. Elle lui parle avec douceur et patience :

— Ne t'inquiète pas... Tout va s'arranger. On va te mettre à l'abri et lancer les policiers sur les traces de Claude.

— C'est bon... articule la fillette après un silence. Je partirai. Comment est cette Jo, dont vous parliez tout à l'heure ?

— Elle est très sympa ! assure François. Tu verras, elle est vive, dynamique et... pas toujours commode ! Mais elle a un cœur d'or...

L'aîné des Cinq aime beaucoup la petite gitane, dont le père purge une longue peine de prison.

— Je pourrai recommencer à m'habiller en fille ?

Le garçon réfléchit.

— Oui, décide-t-il, puisque notre plan de te déguiser en garçon a échoué. Mais ne te fais pas encore appeler Claire !

— D'accord... Eh bien, faisons simple : je serai Michèle !

— D'accord, approuvent les autres.

— Va faire ton sac, conseille Sylvie. Pendant ce temps, je vais téléphoner à la police et appeler un taxi.

Elle prend le combiné et appelle la gendarmerie. Quand elle a le brigadier-chef au bout du fil, elle le met au courant de la disparition de Claude. L'agent note calmement les déclarations de la jeune femme.

— Je serai là dans dix minutes, promet-il.

La cuisinière passe un coup de fil à la petite centrale de taxis de Kernach.

Annie et ses frères prennent place au salon ; ils restent longtemps silencieux. Chacun pense à Claude. Où peut-elle être ? Que fait-elle en ce moment ?

Dagobert erre, accablé. Il cherche toujours sa maîtresse. Cinq ou six fois, il est retourné à l'endroit où l'on a trouvé la cein-

ture de la robe de chambre. Chouquette comprend qu'il est malheureux et le suit sans bruit. Quand il se couche, la chienne s'étend à côté de lui. Quand il se lève, elle fait de même. Les enfants, qui se seraient amusés de ce manège dans d'autres circonstances, ne le remarquent même pas.

Les minutes passent. Personne ne parle. Sylvie s'est postée à la fenêtre.

— Le taxi arrive ! lance-t-elle quelques instants plus tard. Les gendarmes ne devraient pas tarder... Je ferais mieux de les attendre avant de partir...

— Non, vas-y ! recommande François. Emmène Claire chez Maria. On accueillera la police et on racontera tout ce qu'on sait. Ne t'en fais pas.

La jeune femme marque un temps d'hésitation.

— C'est d'accord ! se résout-elle enfin. Je n'en ai pas pour longtemps... À tout à l'heure !

Elle attrape la main de la fille de Charles Martin, et toutes deux se précipitent vers la grosse voiture qui les attend devant le por-

tail. Annie et ses frères regardent le véhicule s'éloigner. Ils retournent au salon.

Soudain, on entend le gravier crisser dans l'allée.

— Voilà les gendarmes ! lance Mick.

*chapitre 15*

# Une découverte intéressante

Le brigadier-chef pénètre dans la ville, accompagné de l'un de ses subordonnés. Annie se sent réconfortée à la vue de ces hommes grands et courageux.

François les introduit au salon, et leur raconte tout.

— Vous pouvez nous ramener Claude ? demande anxieusement Annie.

Depuis l'arrivée des gendarmes, cette question lui brûle les lèvres.

— Peut-être... Je vais me mettre immédiatement en rapport avec M. et Mme Dorsel et aussi avec M. Martin.

Le téléphone sonne. Mick court y répondre.

— C’est pour vous, messieurs ! crie-t-il.

Le brigadier s’approche de l’appareil à pas mesurés, et l’on entend sa grosse voix commenter :

— Ah ! D’accord. Oui. Entendu ! Non. Ah ! bon.

Puis il raccroche et revient s’asseoir.

— Il y a du nouveau, annonce-t-il. Les ravisseurs viennent de prévenir M. Martin qu’ils ont enlevé Claire.

— Oh ! souffle Annie avec effroi. Ils lui ont demandé de leur livrer tous ses calculs ?

L’homme fait un signe de tête affirmatif.

— Oui, et le pauvre homme a promis de donner tout ce qu’on lui demandera, pourvu que l’enfant lui soit rendue.

— Il faut vite le prévenir que ce n’est pas sa fille qui a été enlevée, réagit François.

Le gendarme fronce ses épais sourcils et articule fermement :

— Jeune homme, nous savons ce que nous avons à faire. Vous ne réussirez qu’à nous gêner si vous essayez d’agir par vous-mêmes dans cette histoire. Le plus grand

service que vous puissiez nous rendre est de rester tranquilles.

— Quoi ? Avec Claude en danger ? Vous croyez vraiment qu'on va rester inactifs ? explose Mick. Et vous, vous allez faire comment, pour la retrouver ?

— Calmez-vous ! Elle n'est pas vraiment en danger. Les bandits vont la libérer dès qu'ils s'apercevront qu'elle n'est pas la fille de M. Martin.

— Non ! poursuit le garçon avec force. Ils se retourneront contre l'oncle Henri, qui en sait long, lui aussi.

— Je vous le répète : laissez-nous faire notre travail, coupe le brigadier, irrité.

Il se lève et se dirige vers la porte, suivi de son adjoint.

— Si vous apprenez quelque chose de nouveau, n'oubliez pas de m'en avertir, ajoute-t-il. Mais, surtout, n'essayez pas d'intervenir par vos propres moyens !

Lorsque les deux policiers sont partis, François donne libre cours à sa mauvaise humeur :

— Ils ne se rendent pas compte que c'est

urgent ! En tout cas, une chose est sûre, on a bien fait d'éloigner Claire. Tiens, tu as l'air bizarre, Annie. Tu es toute pâle.

— Je ne me sens pas très bien. Ce doit être l'émotion et, en fait... je meurs de faim !

— Moi aussi ! renchérit Mick. C'est pourtant rare qu'on oublie de petit-déjeuner ! Il est presque dix heures. Allons manger quelques tartines, on se sentira mieux après !

— Regardez Chouquette et Dagobert, lance sa sœur en pénétrant dans la cuisine. Ils me font pitié... Dago, ne me regarde pas comme ça ! Je ne sais pas où est Claude, sinon je te conduirais près d'elle tout de suite. Et toi, Chouquette, il faut te résigner. Claire doit se séparer de toi pour quelques jours. Espérons seulement que cette situation ne se prolongera pas longtemps !

Ils s'asseyent autour de la table de la cuisine et mangent du bout des dents. Chacun d'eux éprouve une grande tristesse. Comme c'est bizarre de n'être plus que trois ! Le fidèle compagnon de Claude se couche sous la table et pose sa grosse tête sur le pied d'Annie. Le petit caniche s'installe égale-

ment auprès de la fillette, qui comprend mieux que les garçons son désarroi, et fait de son mieux pour la réconforter.

Après le repas, Annie monte se laver les dents. Pendant ce temps, les garçons sortent dans le jardin pour examiner une fois de plus l'endroit où ils ont découvert la ceinture de leur cousine. Les chiens les suivent. Dagobert flaire longuement, puis, le nez collé au sol, il descend l'allée du jardin jusqu'au petit portail, qu'il franchit en poussant le battant du museau. Humant le sol avec application, il s'engage sur la route et bientôt tourne dans un large chemin forestier.

— Il suit une trace, analyse François. La trace de Claude

— Surveillons-le, on verra bien jusqu'où il ira ! décide Mick.

Les garçons et Chouquette accompagnent donc la brave bête, qui se met bientôt à courir.

— Pas si vite ! Attends-nous !

Mais l'animal ne veut pas ralentir. Il semble extrêmement intéressé par la piste qu'il a découverte. Ses compagnons

s'élancent à sa suite. Ils s'enfoncent dans le bois. Arrivé à une clairière, Dagobert s'arrête.

Les deux frères, hors d'haleine, l'observent flairer tout autour de lui. Puis le chien pousse une sorte de gémissement et lève sur eux un regard désolé.

De toute évidence, les traces s'arrêtent dans cette clairière.

— Une voiture est passée par-là... traduit Mick, en montrant du doigt le sol humide sous un grand chêne.

En effet, de larges pneus ont laissé leur empreinte sur l'herbe et creusé des ornières à certains endroits.

— Tu vois ? poursuit le garçon. Les ravisseurs ont amené un véhicule et l'ont caché ici ; puis ils sont venus par le bois jusqu'à la *Villa des Mouettes* et ont attendu une occasion de s'emparer de Claire. Ils ont enlevé Claude à sa place...

François se penche pour examiner les marques sur le sol.

— Il s'agit certainement d'une grosse

voiture, déduit-il. Avec des pneus très épais... Je sais ce qu'on doit faire ! Relever le tracé laissé par les roues dans cette terre humide ! J'ai lu ça dans un livre d'espionnage !

Il tire de sa poche un carnet et un crayon, et commence à dessiner. Mick se penche sur les empreintes et les examine avec soin.

— Tiens ! lâche-t-il au bout d'un moment. Elles s'entrecroisent plusieurs fois. Tu sais ce que je pense ? Eh bien, lorsque les bandits ont enlevé Claude, ils l'ont amenée ici et l'ont poussée dans la voiture. Ensuite ils ont dû faire demi-tour pour repartir. Tu vois, les pneus ont laissé une marque visible le long du chemin forestier, de ce côté. Vraisemblablement, ils ont eu du mal à tourner et ont accroché cet arbre, là. Ils conduisaient sans doute un gros véhicule. Il y a un peu de peinture en travers du tronc...

— Où ça ? Ah ! oui, tu as raison ! C'est une traînée de peinture bleue ou grise. Bravo ! cet indice aidera sans doute les policiers ! Ils sauront qu'ils doivent rechercher une grosse auto dans ces tons.

— Regarde ! crie soudain François. Dagobert est encore en train de flairer ! Il est inconsolable de n'avoir pas trouvé Claude au bout de la piste. Le pauvre ! Tiens, il est en train de renifler un buisson. Allons voir ce qu'il cherche !

Ils accourent près du chien, qui essaie d'atteindre un objet accroché à la branche d'un bosquet.

C'est un mouchoir. Les deux frères se précipitent dessus. Il porte l'inscription « A. Dorsel », cousue de fil bleu.

— A... comme Adeline ! s'écrie l'aîné des Cinq.

— Adeline ? interroge l'autre. Je ne connais pas d'Adeline Dorsel...

— Mais si, tu sais bien, c'était le nom de la grand-mère paternelle de Claude ! Elle est morte il y a cinq ou six ans. En souvenir d'elle, notre cousine a gardé ce petit bout de linge brodé. Il était sûrement rangé dans la poche de son pantalon de pyjama. Pas de doute, c'est bien son mouchoir !

— Elle a dû le jeter pendant que les ban-

dits manœuvraient pour quitter la clairière ! conclut Mick.

Il inspecte le bout de tissu.

— Eh ! tu as vu ? s'exclame-t-il soudain en rapprochant encore le textile de ses yeux. Je crois que Claude a inscrit quelque-chose dessus ! Mais il n'y a qu'un mot... Qu'est-ce que tu lis ?

François s'empare avidement de l'objet et constate :

— Pas de doute : c'est son écriture. Ça commence par un L...

— Lu... mières ! déchiffre son frère à haute voix. Elle a écrit le mot « lumières ». Pourquoi ?

— Aucune idée... Les bandits ont peut-être prononcé ce nom et elle s'est hâtée de le noter sur un mouchoir qu'elle a jeté par la portière. « Lumières » ? Qu'est-ce que ça signifie ?

chapitre 16

# Jo

Les garçons retournent à la *Villa des Mouettes*, suivis des deux chiens. Quand Annie est mise au courant de leurs découvertes, elle déclare :

— Il faut faire un rapport à la gendarmerie. Le brigadier saura certainement comment retrouver la voiture à partir de ces indices ; il pourra peut-être même nous expliquer pourquoi Claude a inscrit le mot « lumières » sur son mouchoir.

— Oui, je vais téléphoner tout de suite, décide François.

Le policier écoute avec attention les informations que lui fournit l'aîné des Cinq. Il

annonce qu'il enverra deux hommes dans le bois, pour mener une enquête approfondie.

C'est une triste matinée, malgré l'azur du ciel et les rayons ardents du soleil, qui rendent la mer plus belle que jamais. Les enfants, désemparés, ne pensent qu'à leur cousine et parlent d'elle sans cesse.

Sylvie revient juste à temps de chez Maria pour préparer le déjeuner. Elle constate avec plaisir qu'ils ont épluché des pommes de terre, préparé une salade et cueilli des mûres pour le dessert.

— La petite est maintenant en sécurité, affirme la cuisinière. Elle était bien désolée de vous quitter. Je lui ai recommandé de jouer et de sourire, pour ne pas attirer l'attention des voisins.

— Tu as vu Jo ? demande Mick.

— Non, elle était sortie se promener. Il paraît qu'elle est toujours aussi indépendante. Elle quitte souvent la maison sans dire où elle va. J'espère qu'elle s'entendra bien avec Claire.

La journée s'écoule, morose et inquiète. En début de soirée, le téléphone sonne. Tous

les cœurs se mettent à battre. François se précipite sur l'appareil. Au bout du fil, tante Cécile est bouleversée par la nouvelle qu'elle vient d'apprendre.

— Ma pauvre Claude... gémit-elle. Nous n'aurions jamais dû vous laisser seuls à la maison ! Que faire ? Ton oncle et moi sommes toujours bloqués chez Charles Martin : le trafic ferroviaire n'a pas été rétabli depuis la tempête. Nous n'avons aucun moyen de rentrer à Kernach... De toute façon, nous sommes tous réduits à l'impuissance. Seule la police peut retrouver notre fille. Quand je pense que les ravisseurs l'ont enlevée par erreur ! Claire est-elle toujours avec vous ?

— Non. Sylvie l'a emmenée ce matin chez Maria. À mon avis, on ne tardera pas à revoir Claude. Dès que les bandits s'apercevront de leur méprise, ils vont la libérer...

— Je l'espère, murmure sa tante d'une voix brisée. Ma pauvre chérie !

Quand il a raccroché, le jeune garçon confie aux deux autres :

— Vous voulez mon avis ? Je suis per-

suadé que Claude tiendra sa langue. Elle ne révélera pas d'elle-même aux bandits qu'ils ont kidnappé la mauvaise personne. Si elle dévoile sa véritable identité, ces gangsters se remettront sur la trace de Claire. Ou alors, ils feront chanter oncle Henri...

— On est tous dans de beaux draps, remarque Annie. Pourvu que les trains soient bientôt en état de circuler ! Je serais plus rassurée si notre tante et notre oncle étaient ici avec nous...

Quand ils montent se coucher, la fillette prend avec elle les deux chiens, qui paraissent bien malheureux. Depuis la disparition de sa maîtresse, Dagobert refuse toute nourriture.

François ne parvient pas à s'endormir. Il se retourne cent fois dans son lit, en pensant à l'aventure de sa cousine. Comment a-t-elle réagi quand ces inconnus s'en sont pris à elle ? Qui sont ces hommes qui la tiennent prisonnière ? Est-elle en bonne santé ?

« Si seulement je pouvais faire quelque-chose pour elle... » se désole l'aîné des Cinq.

Au même instant, un petit caillou vient heurter le volet de sa chambre. Il saute de son lit et ouvre le battant. Un autre gravier passe par la fenêtre ouverte et roule sur le parquet.

Le garçon se penche prudemment à l'extérieur. Une voix qu'il connaît bien lui parvient alors :

— C'est toi, Mick ?

— Jo ! Qu'est-ce que tu fais ici ? C'est François ! Mon frère dort. Attends, je vais l'appeler et t'ouvrir la porte !

Mais il n'a pas besoin de descendre pour faire entrer la petite gitane. Elle grimpe à l'arbre qui se trouve juste devant la fenêtre et réussit à s'introduire dans la chambre en moins de temps qu'il n'en faut à François pour réveiller son cadet.

Ce dernier appuie sur l'interrupteur. La lumière du plafonnier éclaire la jeune fille, ses boucles brunes et son sourire mutin.

— Il fallait absolument que je vienne vous parler, explique-t-elle. Quand je suis rentrée chez moi, j'y ai trouvé votre copine, Michèle. Elle m'a raconté que Claude avait

été enlevée à sa place. Alors, je lui ai dit : « Tu n'as pas honte de venir te réfugier ici ? Tu devrais être en train d'enquêter, d'explorer les moindres recoins de la plage, de Kernach, et tous les villages des environs ! » Eh bien, elle n'a rien voulu entendre ! Elle s'est assise dans un coin et s'est mise à pleurnicher. Quelle froussarde !

— Mais non, tu te trompes, la contredit Mick.

Il essaie d'expliquer à l'adolescente indignée comment les choses se sont passées, mais ne peut la convaincre.

— À sa place, je ne voudrais pas laisser quelqu'un dans le pétrin à cause de moi ! Je vous assure qu'elle ne me plaît pas du tout, cette poule mouillée ! Quand je vois comment elle agit envers ses amis, je souhaite que les bandits s'aperçoivent vite qu'ils se sont trompés et viennent la chercher !

François la regarde avec amusement.

« C'est Jo tout craché ! pense-t-il. Elle est impétueuse et ne connaît pas la demi-mesure. Un peu comme Claude, d'ailleurs... Mais elle s'est toujours montrée loyale

envers le Club des Cinq. On peut compter sur elle. »

— Écoute, poursuit-il à haute voix. On a fait quelques découvertes depuis que Claire... heu... je veux dire Michèle nous a quittés ce matin.

— Ah ! oui ? Raconte ! Vous savez où est la cachette des malfaiteurs ? Alors, courons-y tout de suite !

— Du calme ! On n'en est pas encore là, tempère Mick.

— Notre cousine a jeté un mot par la portière de la voiture, reprend son frère. On l'a trouvé tout à l'heure. Le voici...

La jeune fille prend le carré de tissu blanc et l'examine avidement, les sourcils froncés.

— Il n'y a qu'un mot : lumières... commente-t-elle, déçue.

— Tu ne sais pas ce que ça peut signifier ? questionne l'aîné du groupe, qui sent son espoir s'envoler.

— Lumières ? Laisse-moi réfléchir.

Elle s'assied sur le lit de Mick et se prend la tête à deux mains, pour mieux se concentrer. Bientôt, elle se relève, rayonnante.

— Je sais ! Il y a quelques semaines, j'ai été à la fête foraine de Morsai ; c'est tout près de chez nous. On l'appelle « la fête des Lumières » !

— La fête des Lumières ? Tu sais où elle est partie après Morsai ? demande François, fébrilement.

— Elle devait aller s'installer à Port-Rimy, et ensuite à Laëron. Je me suis bien entendue avec le fils du bonhomme qui tient les montagnes russes et comme ça j'ai pu faire au moins dix tours sans attendre dans la queue !

— Non, c'est vrai ? s'exclament les deux frères avec envie. Quelle chance !

La gitane rit en évoquant cet heureux souvenir.

— Tu crois que cette foire peut avoir un rapport avec ce qu'a écrit Claude ? questionne Mick.

— Je n'en sais rien. Tu me prends pour une voyante extralucide ? Mais je peux essayer de retrouver Gaëtan, il pourra me donner des renseignements intéressants.

— Gaëtan ?

— C'est le gamin du grand huit. Il m'a expliqué que la foire appartenait à un industriel de la région, un certain Sylvain Nivel. C'était une affaire de famille, et Nivel en a hérité à la mort de ses parents. Lui s'est lancé dans le pétrole ; il possède plusieurs gisements. Mais il a quand même choisi de rester propriétaire de la fête foraine.

— C'est du jamais-vu ! commente François. Un magnat du pétrole qui dirige un parc d'attractions !

— Tu as raison, c'est bizarre... admet la jeune fille.

— Ce Nivel, il a une grosse voiture ? demande soudain Mick.

— Je ne sais pas. Mais on le saura bientôt. Prêtez-moi un V.T.T., et je file jusqu'à Laëron.

— Jamais de la vie ! s'exclame François, effaré à la pensée de Jo faisant à bicyclette tout le trajet jusqu'à la petite ville, au milieu de la nuit.

— Tant pis pour vous, lance l'adolescente, d'un ton bref. Si ça se trouve, Nivel tient votre cousine prisonnière quelque part.

Sa réputation est très mauvaise parmi les forains.

— Vraiment ? questionne l'aîné des Cinq.

— Oui. Gaëtan m'a confié que ce type-là traitait très mal ses employés. Il le soupçonne même d'avoir été mêlé à plusieurs histoires suspectes.

— Tu crois qu'il irait jusqu'à un enlèvement d'enfant ? C'est très grave !

— Je suis bien de ton avis ! Alors prête-moi ta bicyclette !

— Non ! C'est gentil de vouloir t'impliquer dans la libération de Claude, mais je ne te laisserai pas aller à cette fête des Lumières en plein milieu de la nuit, pour savoir si Nivel est mouillé dans l'affaire du kidnapping !

— Comme tu voudras, réplique Jo. Moi, je t'ai dit tout ce que je savais. Mais si ça se trouve, le mot inscrit sur le mouchoir ne fait pas allusion à cette fête foraine...

— Alors tu vois bien que les chances sont minces. Retourne chez toi ! Et sois gentille avec la pauvre Michèle, s'il te plaît. Reviens demain, si tu peux, on reparlera de tout ça.

On aura peut-être des nouvelles, car les gendarmes sont en train de faire des recherches. Au fait, tu es venue comment jusqu'à Kernach ?

— À pied. J'ai coupé par la forêt de pins. Par les routes, c'est bien trop long !

Mick, surpris et émerveillé, imagine la vaillante bohémienne traversant les champs et les bois, les collines et les vallées. Il se demande comment elle fait pour ne pas s'égarer.

« Une chose est sûre, conclut le jeune garçon, ce ne serait pas prudent pour moi de chercher à l'imiter ! »

La gitane repart par la voie qu'elle a empruntée pour entrer dans la chambre. Aussi souple qu'un chat, elle descend le long de l'arbre.

— Salut ! lance-t-elle lorsqu'elle est en bas. À bientôt !

— Dis à Michèle qu'on pense à elle, dit François en se penchant par la fenêtre.

— Compte là-dessus ! rétorque la jeune fille entre ses dents, assez haut cependant pour être entendue. Elle disparaît.

— Ah ! cette Jo, alors... soupire l'aîné des Cinq avec un sourire.

— Il faut la prendre comme elle est... Elle déborde de vitalité. Qui, à part elle, aurait l'idée d'aller à Laëron à vélo à cette heure-ci, après avoir fait une longue marche à travers la campagne pour nous voir ? Enfin, tu as bien fait de refuser de lui prêter ton V.T.T.

Les deux garçons se recouchent. Au moment où ils s'allongent dans leur lit, un bruit facilement reconnaissable les fait se redresser.

— Elle m'a roulé ! s'écrie Mick en frappant du poing son oreiller.

On entend un timbre de bicyclette sonner joyeusement sur la route de Laëron...

— C'est Jo ! ajoute le jeune garçon, hors de lui. Elle est partie sur mon vélo, je reconnais la sonnette. Elle me paiera ça !

Son frère pouffe de rire. Puis il dit :

— Je me demande quelle tête fera ce Gaëtan quand notre copine le réveillera au milieu de la nuit !

— Bonne question !

Après un silence, il ajoute :

— Et Claude ? Est-ce qu'elle dort en ce moment ? J'espère qu'elle tient le coup...

Une longue plainte parvient de la chambre voisine.

— Tu entends ? interroge François. Dagobert est malade d'avoir perdu sa maîtresse...

Les deux frères finissent par sombrer dans un lourd sommeil, habité de rêves où une silhouette menue, courbée sur un guidon, file dans la nuit en direction d'une curieuse fête foraine...

*chapitre 17*

# La fête des Lumières

Le lendemain matin, à sept heures et demie, Sylvie vient frapper à la chambre des garçons.

— François ! crie-t-elle. Je viens de trouver une lettre pour toi. Elle ne porte pas de timbre. Quelqu'un a dû la glisser sous la porte d'entrée !

L'aîné des Cinq saute de son lit et va ouvrir à la jeune femme. Est-ce un mot des ravisseurs ? Pourquoi lui écriraient-ils ?

— Tiens ! dit la cuisinière en lui tendant un bout de papier à demi déchiré, plié en deux, avec l'inscription : « Pour François ».

Ce dernier reconnaît immédiatement

l'écriture de Jo. Il lit la missive à haute voix :

— « J'ai vu Gaëtan et lui ai proposé de vous rencontrer. Il est d'accord pour venir sur la plage de Kernach à onze heures. J'y serai aussi. Dis à ton frère que je lui rapporterai son vélo. J'espère qu'il ne sera pas fâché. »

— Quelle chipie ! s'exclame Mick. Pourvu qu'elle ne l'ait pas abîmé ! Il est tout neuf !

Mais il est rassuré quand, à onze heures moins le quart, il voit la gitane approcher à pas mesurés, poussant un V.T.T. étincelant.

L'adolescente a trouvé le temps et le courage de l'astiquer avec soin, malgré la fatigue d'une longue expédition nocturne.

Tandis qu'elle monte l'allée, Dagobert court à sa rencontre, et la salue de joyeux aboiements. Il aime beaucoup la jeune fille. Elle sait s'y prendre avec les animaux.

Chouquette s'approche d'eux en dansant, toute prête à accueillir aimablement une amie de Dago.

Jo la considère d'un œil connaisseur.

— On dirait un chien de cirque, commente-t-elle. Il serait facile à dresser !

— Bonjour, voleuse de vélo ! lance Mick. Il ne faut pas te gêner ! Fais comme chez toi ! Mais... Tu l'as nettoyé ?

— Oui, et il en avait bien besoin. Ça ne doit pas lui arriver tous les jours !

— Alors comme ça, tu t'es sauvée avec ma bicyclette sans me demander la permission et, au lieu de t'excuser, tu trouves le moyen de me faire des reproches ! Enfin, merci quand même de l'avoir si bien bichonnée !

La bohémienne se met à rire.

— Mais non, je m'excuse pour cet... emprunt !

— Tu n'es pas désolée du tout ! Enfin, je te pardonne quand même, assure le garçon.

Son frère s'approche.

— Alors, Jo, tu t'es rendue à la fête foraine ? questionne-t-il.

— Oui. J'ai réveillé Gaëtan. Il dormait à la belle étoile, parce qu'il faisait trop chaud dans sa caravane. Inutile de vous dire qu'il

a été plutôt surpris de me voir ! On n'a pas causé longtemps, de crainte de réveiller les autres forains. Je lui ai seulement demandé de venir sur la plage de Kernach à onze heures, pour une affaire très importante. Puis je suis rentrée chez moi. J'aurais dû laisser la bécane de Mick en repassant devant votre villa, mais j'ai préféré filer tout droit plutôt que de rentrer à pied...

— Alors, tu n'as presque pas dormi la nuit dernière. Tu dois être épuisée ! compatit François.

Soudain, il se fige.

— Eh ! Il sort d'où sort celui-là ?

L'aîné des Cinq désigne un jeune garçon qui passe devant la maison, et dont les cheveux blonds se dressent en épis sur la tête.

— C'est mon copain Gaëtan ! s'écrie la gitane. Les autres gamins l'appellent « le hérisson ». Vous ne me croirez peut-être pas, mais il dépense une fortune en gel coiffant, pour essayer d'aplatir ses mèches, qui se relèvent toujours. Il n'y a rien à faire ! Ohé ! Gaëtan ! par ici !

L'interpellé se retourne aussitôt. À part sa

chevelure extravagante, il a une bonne figure ronde, des yeux verts et la peau hâlée. Il observe d'un air étonné les deux garçons qui entourent son amie.

— J'allais à la plage, comme convenu, annonce-t-il.

— Allons-y ensemble ! décide Jo.

Tous quatre se mettent en route. Bientôt, ils croisent le marchand de glaces. Afin de tranquilliser le jeune forain, visiblement méfiant, François achète un cornet pour chacun d'eux. Ce geste met le nouveau venu de bonne humeur. Ils s'asseyent face à la mer et discutent tout en savourant leurs sorbets.

— Alors, qu'est-ce que vous voulez ? interroge Gaëtan.

— On va t'expliquer, déclare la bohémienne. Tu peux nous donner des renseignements sur Sylvain Nivel ?

— C'est un sale type, affirme son interlocuteur sans hésiter. Il n'a aucun respect pour les forains. Il nous paye très mal et refuse de renouveler notre matériel. Mais on le voit assez rarement ; la plupart du temps,

il est dans ses bureaux à Paris, ou en visite dans ses champs de pétrole.

— Il est propriétaire de tous les stands et de tous les manèges de la foire ? questionne Mick, curieux.

— Oui.

— Ça doit lui servir de couverture pour d'autres activités, conclut François.

Les deux frères dévisagent le garçon aux cheveux hérissés en se demandant jusqu'à quel point on peut lui faire confiance. Jo comprend tout de suite.

— C'est bon, assure-t-elle gravement. Vous pouvez parler devant lui.

Gaëtan a un sourire en coin. L'aîné des Cinq se décide. À voix basse, il raconte comment Claude a été enlevée. L'autre écoute, bouche bée.

— Pas possible ! souffle-t-il enfin. Moi, ça ne m'étonnerait pas que Nivel soit derrière tout ça. Récemment, il est venu nous voir. Il a discuté longuement avec Pierre, qui tient le stand des autos-tamponneuses. Je crois que tous deux ont déjà été complices dans des affaires pas très nettes. Puis Nivel

est reparti, en expliquant aux autres forains qu'il avait une affaire importante à régler...

— Écoute, dit Mick fiévreusement. L'enlèvement de notre cousine a eu lieu avant-hier, en pleine nuit. Tu as remarqué quelque-chose de bizarre ce soir-là ? Un va-et-vient de voitures dans le camp, peut-être ?

Le dénommé « hérisson » paraît réfléchir profondément, puis il secoue la tête.

— Je n'ai rien vu, rien entendu. Mais tu sais, moi, quand je dors...

— Ça, je m'en suis aperçue ! s'exclame Jo. Pour te réveiller, quelle histoire ! On pourrait déménager la foire sans que tu t'en rendes compte !

— Il ressemble à quoi, ce Pierre ? questionne François.

— Il est assez grand, plutôt costaud. Et il porte une chevalière dorée à la main droite.

— Une chevalière ? Comme le type qui s'est renseigné sur nous auprès de la marchande de glaces de Kernach...

Il y a un silence.

— En tout cas, il y a deux jours, Nivel

était là, reprend Gaëtan. Et hier matin, Pierre a annoncé qu'il allait éloigner sa caravane, parce que sa femme est gênée par le brouhaha des autos-tamponneuses.

Il marque un temps d'arrêt. Puis il ajoute :

— C'est bizarre, d'ailleurs... Carole ne s'était jamais plainte du bruit auparavant. Ça fait pourtant des années qu'elle mène la vie de foraine...

— Hmm... fait l'aîné des Cinq, pensivement. Est-ce bien à cause de cette femme que le camping-car a été éloigné ? Qui sait si ce n'est pas plutôt parce qu'il y avait quelqu'un à l'intérieur, qui appelait à l'aide ?

Le hérisson fronce les sourcils.

— Oui, ça se pourrait, affirme-t-il enfin.

— Tu devrais aller rôder un peu du côté de la caravane de Pierre, sans te faire remarquer, suggère la gitane. François a raison : une fête foraine est un lieu où l'on peut facilement cacher quelqu'un. Claude est peut-être séquestrée là-bas !

— Allons à la foire cet après-midi, avec Dagobert, propose Mick. Il retrouvera la trace de sa maîtresse si elle y est.

— On devrait d'abord téléphoner à la police, intervient son frère.

À ces mots, Gaëtan se raidit.

— Ah ! non ! réagit-il avec force. M. Nivel comprendra que je l'ai balancé : il sait très bien que je ne l'aime pas, et que j'estime qu'il paie papa très mal. Or, si Nivel apprend que je l'ai dénoncé, il nous chassera de la foire, c'est sûr. Comment vivra-t-on alors ?

Il fait mine de se lever pour partir.

— Reste ici, dit Mick en le retenant par la manche. On n'appellera pas les gendarmes. C'est promis. Mais il faut que tu nous aides à retrouver Claude par nos propres moyens. C'est d'accord ?

— Oui, acquiesce l'autre. Venez au parc d'attractions aujourd'hui. Arrivez après quatre heures, recommande Gaëtan. Il y aura du monde. Personne ne fera attention à vous.

— D'accord ! On se glissera dans la foule pour aller voir ce qui nous intéresse. Toi, tu nous guetteras, et tu nous diras s'il y a du nouveau.

Le jeune forain s'éloigne. Les garçons le

regardent partir avec un étonnement amusé : vu de dos, il est encore plus comique et mérite tout à fait son surnom de hérisson !

— Viens déjeuner avec nous, Jo, suggère Mick.

L'adolescente sourit, ravie de l'invitation.

— Merci ! J'avais justement prévenu Maria que je ne reviendrai que ce soir. On est en vacances, non ? Il faut en profiter. Et puis, cette Michèle m'agace. Elle passe son temps à se lamenter...

Tous trois retournent à la *Villa des Mouettes*. Sur le chemin, ils décident de ne pas raconter à Sylvie ce qu'ils ont appris ce matin.

— Elle sera bouleversée d'apprendre que Claude est peut-être enfermée dans une caravane. Et puis elle voudra téléphoner aux gendarmes. Or, on a promis à Gaëtan de ne pas faire appel à eux pour l'instant.

Ils trouvent la cuisinière et Annie en train de préparer le déjeuner.

— Bonjour, Jo ! lance la jeune femme avec un large sourire. Alors, ça t'amuse de lancer des cailloux contre mes volets au

milieu de la nuit ? Refais ça encore une fois et tu verras ce qui t'arrivera ! Tiens, aide donc les garçons à mettre la table.

Après un copieux repas, composé de belles escalopes de poulet, de tomates au four et de fruits bien juteux, les garçons relatent à leur sœur ce que le jeune forain leur a révélé le matin même.

— Cet après-midi, Mick et moi irons mener une petite enquête à la fête des Lumières ! annonce enfin François.

— Je voudrais bien vous accompagner avec Chouquette, affirme Annie.

— Tu sais qu'on ne peut pas emmener la chienne de Claire ! proteste Mick. Quelqu'un pourrait la reconnaître. Il vaut mieux que tu restes à la maison avec elle. On prendra Dagobert avec nous. Si Claude est vraiment cachée là où on soupçonne qu'elle se trouve, c'est-à-dire dans l'une des caravanes du camp, il la sentira et nous guidera vers elle.

Le chien, attentif, dresse les oreilles chaque fois qu'il entend prononcer le nom de sa maîtresse. L'absence de celle-ci le rend

vraiment malheureux. Souvent, il court à la porte d'entrée, dans l'espoir de la voir arriver. Quand il disparaît et que les enfants le cherchent, ils sont sûrs de le retrouver couché sur le lit de leur cousine.

Un peu avant quatre heures, François, Mick et Jo se mettent en route pour la fête de Laëron.

Les garçons prennent chacun leur V.T.T., et la gitane emprunte le vélo d'Annie. Dago court vaillamment derrière eux. La bohémienne regarde de temps en temps la bicyclette étincelante de Mick. Comme elle l'a bien astiquée !

Quelques minutes plus tard, ils arrivent sur la place centrale de la petite ville de Laëron, et découvrent tout de suite l'emplacement de la fête foraine.

À peine s'y sont-ils engagés qu'ils voient surgir Gaëtan.

— Salut ! lance-t-il en s'approchant d'eux. Je vous attendais. On discutera plus tard : je dois aider papa à distribuer leurs tickets aux amateurs de montagnes russes. J'ai eu quelques tuyaux, mais rien de bien

intéressant. Venez, je vais vous faire voir le camping-car de Pierre.

Il les emmène à l'écart de la foire et leur fait traverser le camp où s'alignent, en rangs serrés, les caravanes des forains, puis il leur montre de loin un luxueux véhicule gris métallisé. Celui-ci est isolé.

Gaëtan quitte les trois détectives en herbe. Il retourne en courant vers son Grand huit.

— J'ai une idée ! souffle Mick. On trouvera facilement un marchand de balles en mousse ici. On en achètera une et on ira jouer auprès du camping-car de Pierre. L'un de nous enverra le ballon assez fort dans la bonne direction et l'autre, en allant le ramasser, se dépêchera de jeter un coup d'œil à l'intérieur du véhicule. Dagobert ira flairer autour pendant qu'on se fera des passes. S'il trouve trace de Claude, on peut être sûrs qu'il se mettra à aboyer comme un forcené !

— Parfait ! approuve François. Tu viens, Jo ! Et ouvre l'œil pour nous avertir si tu perçois le moindre danger !

*chapitre 18*

# Gaëtan rend service

Les deux frères et la gitane, suivis du fidèle Dagobert, se mettent en quête d'un marchand ambulant. Ils parcourent la fête foraine, examinent tous les stands devant lesquels ils passent mais, à leur grande déception, ne trouvent pas ce qu'ils cherchent.

— C'est quand même incroyable, rouspète Mick. Il n'y a pas de ballons à vendre ici. Que faire ?

— Essayer d'en gagner un ! réplique François, avec un clin d'œil. J'ai repéré une attraction là-bas. Des balles en mousse sont exposées parmi d'autres lots. Venez, ce n'est pas loin.

Dix minutes plus tard, les jeunes enquêteurs retournent vers l'emplacement où stationnent les caravanes des forains. L'aîné des Cinq tient précieusement contre lui la sphère élastique rouge qu'il vient de gagner...

La fête des Lumières est un beau parc d'attractions. Bruyante et gaie, elle porte bien son nom : chaque animation est signalée par une enseigne étincelante, constituée de toutes petites ampoules colorées. Des centaines de personnes, venues des environs pour faire leurs achats en ville, s'y pressent, avides de s'amuser et de profiter du beau temps.

Le manège de grands chevaux blancs et de cochons roses déverse une musique assourdissante. Un peu plus loin, au pied du grand huit, Gaëtan encaisse le prix des places. Les balançoires ne manquent pas de jeunes amateurs qui s'élancent le plus haut possible, et les autos-tamponneuses s'entrechoquent avec entrain. Les marchands cherchent à attirer l'attention des promeneurs par de grands éclats de voix.

Un homme en turban vante les mérites d'une voyante extralucide.

— Voulez-vous connaître votre avenir ? Mme Irma vous fera des révélations sensationnelles. Vous serez surpris !

— Oui, surtout par ses tarifs ! marmonne Jo

Dagobert, lui, paraît inquiet et ne s'éloigne pas de ses jeunes maîtres.

Lorsqu'ils arrivent en vue des caravanes, François se tourne vers ses compagnons et leur dit :

— À nous trois, on doit absolument réussir notre petite comédie. Viens, Dago. Si tu sens le moindre danger, grogne et montre les dents. Compris ?

— Ouah ! fait l'animal.

Ils s'engagent dans l'espace qui sépare le beau camping-car de Pierre du reste du camp et commencent à jouer à la balle. Une foraine leur crie :

— Revenez ! Vous allez avoir des ennuis si vous allez par-là !

Ils font la sourde oreille et continuent à avancer, tout en se lançant la balle rouge.

La femme hausse les épaules et rentre dans sa roulotte.

Alors l'aîné du groupe lance l'objet si fort qu'il atteint une roue du luxueux camping-car à la carrosserie argentée.

Aussitôt, Mick et Jo courent après. La bohémienne, plus proche, arrive la première, grimpe sur la roue et colle son nez au carreau. Un rapide coup d'œil lui suffit pour s'assurer qu'il n'y a personne à l'intérieur. Elle admire le luxe de l'aménagement, les lits transformés en canapés dans la journée. On dirait un beau salon.

Soudain, elle distingue deux yeux brillants fixés sur elle — les yeux d'une femme grande et maigre, avec les cheveux tirés en chignon. L'inconnue lâche le livre qu'elle tient à la main et fait un geste sec, signalant à la petite gitane de partir.

Cette dernière s'empresse de quitter son poste d'observation et de rejoindre ses amis.

— Personne dans la grande caravane, annonce-t-elle. Seulement une femme à l'air désagréable. L'épouse de Pierre, je suppose. Gaëtan a dit qu'elle s'appelait Carole, c'est

ça ? En tout cas, Claude n'est pas là-dedans, à moins d'être coincée sous un lit ou enfermée dans une armoire !

— Dagobert ne manifeste aucun intérêt pour ce véhicule, constate François, déçu. Si notre cousine s'y trouvait, il aboierait et tenterait d'y pénétrer !

— Sans aucun doute, confirme Mick. Attention, la femme sort du camping-car ! Elle a l'air d'humeur massacrante.

En effet, elle descend les marches en gesticulant d'une façon menaçante. Tandis qu'elle se dirige vers eux, l'aîné des Cinq a une inspiration subite. Il appelle Dago et va à la rencontre de la foraine.

— Dag, va chercher, va chercher là ! chuchote-t-il en désignant la roulotte ultramoderne. Cherche pendant que je parle à cette dame !

Puis, il prend son air le plus poli pour écouter les hurlements qui lui sont adressés. Carole lui reproche, ainsi qu'à ses camarades, d'avoir osé jouer à la balle dans ce secteur défendu...

Le chien a compris et exécuté sans tarder

l'ordre donné par François. Il se glisse dans la caravane tandis que ce dernier détourne l'attention de l'épouse de Pierre.

À peine s'est-il immiscé à l'intérieur du véhicule, que le fidèle compagnon de Claude se met à aboyer. Les trois jeunes enquêteurs sursautent, le cœur soudain empli d'espoir.

Dago reparaît au bout de quelques secondes. Il tient dans sa gueule un objet informe qui traîne par terre. C'est une sorte de manteau rouge foncé. Voyant cela, Carole manque de s'étrangler de colère, se précipite sur la bête et lui donne des coups de pied. Elle ramasse le vêtement que l'animal, surpris par ce traitement inhabituel, vient de lâcher. Elle remonte dans son camping-car. La porte claque.

— Dag ! s'écrie Mick. Qu'est-ce que tu transportais entre tes crocs ?

— Éloignons-nous d'ici, l'interrompt François d'une voix blanche.

— Qu'est-ce qu'il y a ? Comme tu es pâle ! remarque Jo, inquiète.

— Vous n'avez pas vu qu'il s'agissait de la robe de chambre de Claude ?

— Quoi ? rugit son frère, en s'arrêtant net sous l'effet de la surprise. Tu en es sûr ?

— Certain. Elle était de la même couleur que la ceinture qu'on a trouvée dans le jardin après l'enlèvement. Il n'y a pas l'ombre d'un doute. Pour Dagobert non plus, puisqu'il nous l'a apportée.

— Qu'est-ce que ça signifie ? Notre cousine ne peut pas être dans la caravane ; si c'était le cas, Dag l'aurait trouvée.

— Tout de même... quel chien extraordinaire ! s'émerveille Jo en caressant l'animal, qui paraît moins abattu, depuis sa trouvaille. Brave Dago !

— Voici ce que je pense, déclare Mick. Claude a séjourné dans ce véhicule; elle y a été enfermée probablement la nuit de l'enlèvement. Vous voyez la taille des roues et la couleur de la carrosserie ? Elles correspondent parfaitement aux traces de pneus et à la marque de peinture grise qu'on a relevées. J'ai même remarqué que la portière droite était éraflée ! Il s'agit donc bien du véhicule qui a manœuvré avec difficulté le soir du kidnapping !

— Exact ! acquiesce l'aîné des Cinq. Mais maintenant, notre cousine est ailleurs. Je me demande pourquoi les ravisseurs ont abandonné sa robe de chambre ici...

— Ils ont sans doute décidé de lui donner des habits, estime Jo. Elle ne pouvait pas rester en pyjama et robe de chambre.

Soudain, la jeune fille donne un coup de coude à François.

— Regarde là-bas ! Gaëtan nous fait signe.

Ils rejoignent le jeune forain. Ce dernier les fait entrer dans sa caravane, qui est assez mal tenue. Il y vit seul avec son père.

— J'ai vu de loin que vous aviez des ennuis avec Carole, déclare-t-il avec un sourire en coin. Qu'est-ce que votre chien a sorti de la caravane ?

Lorsqu'il est au courant de tout, le hérisson se gratte la tête, et dit sombrement :

— Moi aussi, j'ai fait ma petite enquête. Figurez-vous que le gars qui était voisin du camping-car de Pierre a entendu des cris, il y a deux nuits... Il s'est douté de quelque

chose, mais il ne veut pas s'en mêler, car il a peur de perdre sa place.

— C'était sans doute Claude qui appelait au secours, souffle Mick.

— Le lendemain matin, tout le monde a constaté que le véhicule du responsable des autos-tamponneuses avait été déplacé et éloigné du camp, poursuit le garçon.

Il tousse et baisse la voix pour annoncer la grande nouvelle :

— Cet après-midi, avant l'ouverture de la fête, Pierre a pris sa roulotte et l'a conduite on ne sait où... Avant de partir, il a dit qu'elle avait besoin de réparations.

— Claude était dedans ! s'écrie François. Il voulait la transporter ailleurs ! À quelle heure cet énergumène est-il revenu ?

— Juste avant votre arrivée.

— Il a été absent combien de temps ?

— Une heure, je pense. Pas plus, en tout cas.

— Une heure ! intervient Jo. Il n'a pas pu aller bien loin... Claude est toujours dans le coin ! Tu n'as pas la moindre idée de la des-

tination de Pierre ? Est-ce qu'il aurait des complices dans la région ?

— Eh bien... Sylvain Nivel possède une demeure près de Laëron.

— Voilà ! se réjouit Jo. On sait maintenant où est séquestrée votre cousine !

— Pas tout à fait, tempère le hérisson. Je ne connais pas son adresse exacte.

— Ne t'inquiète pas pour ça ! le rassure François. Retournons chez nous et consultons l'annuaire de la région. Tu sais dans quelle direction s'est engagée la caravane en partant d'ici ?

— Elle a pris la route de Trédoual.

— Voilà une précieuse indication, affirme Mick. Merci, Gaëtan. Tu nous as bien aidés. On te tiendra au courant de l'affaire.

— Venez me voir si vous avez encore besoin de moi, ajoute le jeune forain, très fier.

Les deux frères et Jo reprennent leurs vélos et s'éloignent avec Dagobert, en adressant des signes d'amitié au brave garçon qui, en réponse, secoue énergiquement sa chevelure hérissée.

À la *Villa des Mouettes*, les trois aventuriers s'empressent de raconter à Annie tout ce qu'ils ont appris. Cette dernière prend un air hésitant.

— Vous ne pensez pas qu'on devrait prévenir les gendarmes ? questionne-t-elle. Cette histoire commence à me faire très peur.

François l'arrête.

— Impossible ! s'oppose-t-il catégoriquement On a promis à Gaëtan de laisser la police en dehors de tout ça. De toute façon, je suis persuadé qu'on peut s'en tirer mieux qu'eux. Où est le bottin ? Il nous faut aussi une carte de la région !

Ils les trouvent en haut d'une étagère dans le bureau de l'oncle Henri.

— Nivel... Nivel... marmonne Mick en parcourant les pages de l'annuaire. Rien ! Ce nom n'est pas répertorié !

— Ça ne m'étonne pas, déclare Jo. Si ce type mène des activités malhonnêtes, sa maison est certainement référencée sous un faux nom...

Ses compagnons restent perplexes.

— Tu as raison, estime enfin l'aîné du groupe. Regardons plutôt la carte.

Quand celle-ci est étalée sur la table de travail du père de Claude, quatre têtes se penchent pour l'examiner.

— Voici la route de Trédoual ! lance Annie. Elle se trouve à quelques kilomètres de Laëron.

— Bravo, la félicite son frère cadet. Maintenant, dressons la liste des villages que la voiture a pu atteindre en moins d'une heure.

La gitane se redresse et fait la moue.

— Voilà un travail bien ennuyeux... Et qui va nous prendre une éternité !

*chapitre 19*

# Un plan audacieux

Au bout d'un quart d'heure, ils ont inscrit six noms de villages sur leur liste.

— Et maintenant, on fait quoi ? interroge Annie. Vous avez l'intention de vous rendre dans tous ces hameaux pour demander si quelqu'un a vu passer une caravane gris argent ?

— Non, c'est impossible, répond François. Allons jusqu'au garage de Kernach. Il y a un Paul qui travaille là-bas. C'est un ami de Claude. Il acceptera sûrement de nous aider. Il pourrait, par exemple, téléphoner à ses collègues des stations-service environnantes et les interroger.

— Il trouvera ça bizarre, fait observer Jo.

— Probablement. On n'aura qu'à lui raconter qu'on a fait un pari stupide...

Le jeune pompiste accepte sans difficulté de faire ce qu'on attend de lui. Il connaît des mécaniciens dans quatre des villages portés sur la liste, et un groom d'hôtel dans le cinquième. Mais il n'a pas de relations dans le sixième,

— Commençons par les endroits où j'ai des copains, décide-t-il.

Il appelle son ami à Cloërmel et a une rapide conversation avec lui.

— Il n'a rien vu, dit-il en raccrochant. Aucune caravane de ce genre n'a traversé le village. Il l'aurait remarquée à cette heure de la journée. Voyons si on aura plus de chance à Lahaix...

Après avoir échangé quelques phrases avec un camarade de cette bourgade, le garagiste déclare :

— Personne n'a aperçu le camping-car en question. Je vais appeler maintenant l'Hôtel Central, à Plounérac. Le groom est mon cousin.

Quand Paul fait la description du véhicule

dont ils cherchent la trace, les jeunes enquêteurs voient son visage s'éclairer.

— Alors, tu l'as vu ? s'écrie-t-il. Oui, c'est bien ça. Gris métallisé ! Il allait dans quelle direction ? Ah ! Ils ont dit que... hein ? Répète ! Bon. Merci beaucoup.

— Qu'est-ce qu'il y a ? presse Mick, qui bouillonne d'impatience.

— Fred m'a raconté qu'au début de l'après-midi il est allé à la boulangerie. Pendant qu'il bavardait avec la commerçante, un magnifique engin s'est arrêté devant la boutique... Il était couleur argent...

— C'est tout ? demande François, très agité.

— Le conducteur est sorti du véhicule pour entrer dans la pâtisserie. Il a acheté un mille-feuilles. Mon cousin a remarqué qu'il portait des lunettes noires et une chevalière en or. Comme Frédéric s'intéresse beaucoup aux voitures et à tous genres de gros véhicules, il est sorti du magasin pour examiner le camping-car. Il paraît que les stores étaient tirés à l'arrière. L'homme aux lunettes noires, en reprenant le volant, s'est

tourné vers une personne invisible dans le fond de la caravane et lui a demandé : « On va où, maintenant ? »

— Il a entendu la réponse ? questionne anxieusement Annie.

— Une voix a répondu : « On est presque arrivés. Prends la route de Guelrouzé. À la sortie du patelin, tu tournes à gauche et c'est la maison sur la colline. »

— Quelle chance ! s'écrie Jo. Ce serait donc là que...

Un coup de coude bien senti la rappelle à la prudence.

Mieux vaut ne pas trop parler devant Paul.

Les jeunes aventuriers le remercient pour son aide et reprennent le chemin de la *Villa des Mouettes*.

Pendant le trajet, pas un mot n'est échangé. Les enfants sont trop émus pour parler. Ils laissent leurs vélos contre le mur et se réunissent au salon.

Pressentant que les Cinq rapportent d'intéressantes nouvelles, Dagobert et Chouquette s'installent à leurs pieds, les oreilles dressées.

— On sait où est Claude ! lâche enfin Mick. On ira reconnaître les lieux dès ce soir. On verra si on peut découvrir notre cousine et la ramener. Pierre et Nivel ne se doutent certainement pas qu'on est sur la piste, et par conséquent ils ne se méfieront pas.

— Très bien ! approuve son frère avec enthousiasme.

— J'irai avec vous, déclare Jo.

— Non, rétorque l'aîné du groupe énergiquement. C'est trop risqué, tu ne nous accompagneras pas. Maria nous en voudrait terriblement de te mettre en danger. Mais on emmènera Dagobert, bien sûr.

La gitane se mord les lèvres d'un air furieux.

Les garçons étudient longuement la carte pour trouver le chemin le plus court jusqu'à Guelrouzé.

— Donne-nous les meilleures lampes de poche que tu pourras trouver, Annie, s'il te plaît, exige Mick. Réfléchissons... Comment ramener Claude avec nous, si on parvient à la délivrer ? Sur mon porte-bagages ! C'est le seul moyen. On ne peut pas s'encombrer d'un quatrième vélo.

— Chut ! l'interrompt François. J'entends Sylvie qui arrive ! Si elle apprend notre plan, elle refusera de nous laisser partir ! Et elle appellera la gendarmerie !

— Je viens d'avoir votre tante au téléphone, annonce la cuisinière en pénétrant dans le salon. Le trafic ferroviaire va bientôt être rétabli. M. et Mme Dorsel vont rentrer le plus rapidement possible.

— J'espère que ce ne sera pas ce soir... grommelle Mick, qui craint de ne pouvoir mener son projet à bien.

— Votre tante est terriblement inquiète au sujet de Claude, poursuit la jeune femme. Elle ne vit plus !

— Ça se comprend, estime la petite gitane. On a été si occupés aujourd'hui qu'on n'a pas eu le temps de se faire du souci.

— Venez dîner, maintenant. Je vous ai préparé une belle omelette aux lardons et des petits pois.

— On se mettra en route dès que Sylvie

sera couchée, chuchote François quand cette dernière a le dos tourné. Jo, il vaut mieux que tu rentres chez toi après le dîner. Maria doit s'inquiéter à ton sujet.

— D'accord, accepte la jeune fille, ravie d'être invitée à dîner.

Pourtant, au fond d'elle-même, elle rage de ne pas faire partie de l'expédition nocturne que ses compagnons préparent pour délivrer Claude.

Après le repas, la bohémienne s'en va donc, chargée par tous d'embrasser Claire.

— Elle ne le fera pas, bien entendu, persifle Mick. Si on faisait une partie de cartes ? Ça nous distraira de notre idée fixe. Il vaut mieux être calme pour se lancer dans une telle aventure.

— Tu as raison, dit François.

Annie se met à jouer avec ses frères.

— On sera prudents, hein ? s'inquiète-t-elle. Votre plan me fait un peu peur...

Sylvie monte se coucher vers dix heures. Les enfants continuent la partie. À onze heures moins le quart, ils décident de se

mettre en chemin. Il fait nuit noire. Seul, un croissant de lune brille au firmament.

— Viens, Dagobert ! lance Mick. On va chercher Claude.

— Ouah ! répond le chien, en sautant de joie.

Chouquette est très déçue qu'on lui interdise de suivre son compagnon. Les jeunes aventuriers vont chercher leurs vélos.

Ils s'enfoncent dans la nuit, suivis de Dagobert. Une demi-heure plus tard, ils arrivent sur la place où se tient la fête de Laëron. Puis ils prennent la route que la belle caravane gris argent a parcourue dans l'après-midi. Ils ne se trompent pas, car ils se souviennent des indications de leur carte, consciencieusement étudiée.

Ils roulent sans parler, impressionnés malgré eux par les ténèbres, que transperce seulement l'éclairage de leur dynamo. Le bruit qu'ils font en roulant semble étonnamment amplifié dans le calme de la nuit. En approchant de Plounérac, Dagobert halète. Ses compagnons s'arrêtent, pour lui permettre de se reposer un peu. Quand ils tra-

versent Plounérac, le village semble tout entier endormi. Pourtant, un gendarme surgit de l'ombre ; les enquêteurs en herbe ont un moment d'inquiétude, mais il les laisse poursuivre leur chemin sans les arrêter.

— Maintenant, en route pour Guelrouzé ! lance François en poussant un soupir de soulagement. On tournera à gauche et on cherchera une maison sur la colline. Pourvu qu'il n'y en ait qu'une !

Ils passent sans encombre le village de Guelrouzé, et prennent ensuite un chemin sur leur gauche. Cette petite route monte en pente assez raide. Les enfants doivent bientôt descendre de V.T.T. pour continuer à pied. Il n'y a pas de doute possible : ils sont en train d'escalader une colline.

— Regardez la maison, là-bas, chuchote Annie.

En effet, une masse sombre se profile à travers les arbres.

— Cette demeure paraît isolée, commente le cadet des Cinq. Tant mieux. On peut être sûrs que c'est celle qu'on cherche. Mais son aspect n'est pas très engageant !

Ils arrivent devant une énorme grille en fer forgé. François tourne la poignée. Elle résiste. Un haut mur entoure la propriété. Les jeunes aventuriers l'examinent, le suivent un certain temps et concluent qu'ils ne pourront pas l'escalader.

— C'est pas vrai !

— Attends... La grille... Peut-être ?

Soudain, tous trois se figent, car il viennent d'entendre une branche craquer.

— Vous avez entendu ? souffle Mick. J'espère que personne ne nous suit !

— Mais non ! Ce n'est pas le moment d'avoir la tremblote, la rabroue l'aîné des Cinq. Qu'est-ce que tu disais au sujet de la grille ?

Son frère se ressaisit et explique :

— Eh bien, pourquoi ne pas l'escalader ? De jour, on risquerait d'être surpris, mais maintenant on peut essayer en toute tranquillité.

— Tu as raison ! Grimpons !

*chapitre 20*

# Une nuit mouvementée

Les enfants reviennent donc vers la grille. Mick semble anxieux. Il se retourne constamment.

— Je me demande si quelqu'un n'est pas en train de nous épier, s'inquiète-t-il. J'ai l'impression qu'un regard est posé sur moi et me suit.

— Oh ! arrête ! s'impatiente François. Fais-moi la courte échelle et j'aurai franchi la grille en un clin d'œil !

Avec l'aide de son frère, l'aîné des Cinq grimpe à la grille sans trop de peine. Quand il est de l'autre côté, il fait glisser le gros verrou et entrouvre un battant pour que Mick, Annie et Dago puissent passer.

Ils avancent dans l'allée qui conduit à la maison, en prenant soin de rester du côté de l'ombre, car le croissant de lune, qui joue à cache-cache derrière les nuages, jette une pâle lueur.

Ils voient se préciser devant eux les contours d'une maison ancienne, avec de hautes cheminées. L'ensemble paraît lourd et laid, avec d'étroites fenêtres pareilles à des yeux qui observent. Mick se retourne une fois de plus et François le remarque.

— Tu as encore la frousse ? Si quelqu'un nous suivait, même de loin, Dago l'entendrait et le pourchasserait.

— Je sais bien. Mais, je crois sentir une présence...

— Tu m'énerves avec tes bêtises ! Bon, comment pénétrer à l'intérieur ? Les portes sont certainement bien fermées. Voyons les fenêtres.

Ils font deux fois le tour de la maison, sur la pointe des pieds, lentement, en examinant tout. Bien entendu, les entrées sont fermées à clef. Les volets de fer, hermétiquement clos, n'offrent pas plus de possibilités.

— Nivel peut cacher un tas de choses ici : c'est une véritable forteresse ! S'il y avait au moins un balcon, ou de la vigne vierge, pour nous permettre d'escalader... Mais rien ! On va être obligés de renoncer...

— Faisons encore un tour, propose son frère. Peut-être que quelque chose nous a échappé.

Une fois de plus, ils contournent sans bruit la grande bâtisse, s'arrêtant à chaque instant. Or, au moment où ils se trouvent derrière la maison, la lune sort de son nuage et éclaire un trou en forme de demi-cercle, dans le mur, au ras du sol.

Surpris, ils s'en approchent ; la lune disparaît. Ils éclairent la cavité avec leur lampe de poche pendant quelques secondes.

— C'est un soupirail qui donne sur une cave, constate Annie. Regardez, il y a une petite porte, qui s'ouvre à l'intérieur. Et qui n'est pas fermée !.

— En effet. J'espère qu'il n'y a pas de piège là-dedans... marmonne François, inquiet à son tour.

Tous trois s'accroupissent et Mick oriente

le faisceau de sa lampe de poche vers l'intérieur de la cavité.

— Regardez, il y a un gros tas de sable dans ce cellier, déclare-t-il. On pourrait sauter dessus pour s'introduire dans la maison. Dagobert, passe le premier ! Va reconnaître les lieux, mon bon chien !

Celui-ci ne se fait pas prier. Il bondit. Ses compagnons entendent un bruit mat.

— Puisqu'il ne grogne pas et semble nous attendre tranquillement, c'est qu'il n'y a pas de danger, déduit l'aîné des Cinq après quelques instants de silence. À mon tour, maintenant !

Il saute aussi. Il allume sa torche électrique et scrute autour de lui. Le silence règne sur la grande maison.

— Vous pouvez venir ! assure-t-il à mi-voix.

Son frère et sa sœur atterrissent à côté de lui sur le monticule sablonneux. Ils se trouvent dans une grande cave, avec une porte au fond.

— Espérons qu'elle n'a pas été fermée à

clef de l'autre côté... Dago, reste auprès de nous et... chut !

Le chien agite les oreilles pour montrer qu'il a compris. François ouvre la marche vers la porte, le plus silencieusement possible. Enfin, il tourne la poignée et le battant s'ouvre vers l'extérieur.

— Ouf ! soupire-t-il, soulagé.

Les jeunes enquêteurs quittent la petite pièce obscure pour se glisser dans une autre cave, où ils voient un grand nombre de bouteilles bien alignées le long des murs, et des rayons où s'empilent des boîtes de conserve de toutes sortes.

— Vous avez vu toutes ces provisions ? murmure Mick, ébahi. Nivel pourrait se barricader chez lui pendant des semaines sans mourir de faim... Maintenant, il s'agit de trouver l'escalier.

— Je le vois là-bas ! déclare Annie.

Elle esquisse un geste, puis s'arrête net. Son frère cadet éteint sa lampe.

— Vous entendez ? Des bruits de pas derrière nous ! On nous suit ?

Paniqués, ils retiennent leur souffle et

écoutent. Au bout de deux minutes, n'entendant plus rien, ils décident de gravir l'escalier. En haut des marches se trouve une porte, qu'ils ouvrent sans difficulté. Ils entrent alors dans une grande cuisine, faiblement éclairée par un rayon de lune. Une ombre passe devant eux. Dagobert gronde sourdement. Le cœur d'Annie bondit dans sa poitrine. Qu'est-ce donc qui glisse silencieusement sur le sol et disparaît dans les ténèbres ? La fillette s'accroche brusquement à son frère aîné, qui sursaute.

— Du calme ! gronde celui-ci. C'est ridicule d'être nerveuse à ce point ! Tu vois bien qu'il s'agit d'un chat ! Heureusement que Dag est assez intelligent pour comprendre qu'il ne faut pas se lancer à sa poursuite. On aurait été dans de beaux draps !

— Ouf ! Où peut bien se trouver Claude ? En haut de la maison, peut-être ?

— Je n'en ai aucune idée. Il faut chercher... Mais soyons prudents, car elle n'est certainement pas seule ici...

Ils visitent le rez-de-chaussée, ouvrent

toutes les pièces, immenses et encombrées de mobilier. Personne !

Alors, ils gravissent l'escalier le plus légèrement possible, pour ne pas faire craquer les marches. Au premier étage, ils voient un large palier, avec une fenêtre garnie d'épais doubles rideaux de velours. Dagobert se met à grogner. En un clin d'œil, les jeunes aventuriers disparaissent derrière les lourdes étoffes. Le chien les imite.

Une minute plus tard, Mick écarte les plis pour regarder ce qui se passe sur le palier.

— C'est encore le chat, murmure-t-il à l'oreille de son frère. Tu vois, il est là, sur ce guéridon, à côté de cette potiche. Pourvu qu'il ne la fasse pas tomber !

— Mais non, les félins sont adroits, le rassure son frère, qui aimerait pourtant voir le matou abandonner sa dangereuse position.

— Il nous suit, ou quoi ! rouspète Annie.

— Oui, il se demande sans doute ce qu'on vient faire chez lui.

Dago gronde un peu plus fort et tente de faire un pas vers la proie.

— Chut ! reste tranquille et tais-toi !

ordonne François en le retenant par le collier.

Le chat pousse un long miaulement plaintif, qui résonne lugubrement. Puis, il se frotte contre le vase, qui oscille. Les enfants n'osent plus ni respirer ni regarder. Alors l'animal, d'un bond léger, saute de la console sur le parquet... Les jeunes aventuriers sortent de leur cachette et commencent à explorer. Trois pièces donnent sur le palier. Le cœur battant, ils ouvrent une porte. Derrière, ils ne découvrent qu'un espace vide. À côté, ils ne voient personne non plus. Puis ils arrivent devant un dernier battant. En prêtant attention, ils entendent quelqu'un ronfler.

— Ce n'est pas Claude, déclare Mick.

— Elle est peut-être plus haut. Montons !

À l'étage supérieur, ils trouvent une chambre. Les enquêteurs s'y glissent. Personne. La salle abrite un étrange laboratoire. Sur une grande table carrelée sont disposés divers instruments scientifiques. Des éprouvettes emplies de substances inconnues côtoient des calculatrices, deux microscopes,

une balance électrique et une dizaine de flacons bruns portant l'inscription : « Danger ! Produit toxique. »

De plus en plus anxieux, les enfants se retirent sur la pointe des pieds.

— On a tout inspecté, chuchote la benjamine du groupe, en promenant le rayon de sa lampe de poche sur le palier. Et toujours pas de Claude !

— Tiens, il y a une petite porte dans le fond, remarque Mick.

— Elle est munie d'un gros verrou...

François avance la main pour pousser doucement la tige de fer, mais celle-ci se met à grincer.

— Si on continue, on va réveiller le type qu'on a entendu ronfler... prévient Annie.

— Attends, je me charge de l'enfermer ! propose le cadet du groupe.

Il s'approche de la première porte et tourne tout doucement la clef qui se trouve dessus.

Alors l'aîné des Cinq ouvre la trappe du fond, en prenant d'infinies précautions.

Son frère s'approche et tous deux, à ce

moment, doivent faire un violent effort pour ne pas crier de surprise.

Ils voient là, dans ce réduit, un étroit matelas posé sur le sol. Quelqu'un y est couché, enroulé dans des couvertures ; la tête même est recouverte.

François pose sa main sur le bras de son frère. Il redoute que ce ne soit pas Claude, qu'il s'agisse d'un autre prisonnier ou d'un complice qui donnerait l'alerte...

Mais Dagobert, lui, n'a aucune hésitation. Il se jette sur la silhouette endormie en poussant de petits gémissements... Rassurés, les enfants s'avancent vers leur cousine.

La forme allongée s'assied avec un grognement. La couverture tombe de sa tête, et les deux aventuriers voient les boucles brunes de la jeune fille et son visage étonné.

— Chut ! font-ils.

Dago lèche les mains de sa maîtresse, fou de joie mais silencieux, comme si son instinct l'avertissait du danger.

— Oh ! Dag! balbutie la jeune fille. Tu m'as tellement manqué !

Mick retourne vers la porte et écoute avec

attention. Pas un bruit. Manifestement, personne ne les a entendus pénétrer dans la prison de Claude.

— J'espère qu'on ne t'a pas fait de mal, dit François.

— Je leur ai donné du fil à retordre, assure l'adolescente. Je me suis débattue comme un beau diable, je les ai mordus, griffés, si bien qu'ils m'ont enfermée ici.

— Ma pauvre... soupire Annie. Viens, on va te sortir d'ici !

Mick sourit en voyant de quelle étrange façon sa cousine est vêtue.

— C'est la femme de Pierre qui m'a attifée comme ça, explique-t-elle. Quand on m'a enfermée dans sa caravane, elle m'a donné ces vêtements. J'en ai des histoires à vous raconter !

— Chut ! fait l'aîné des Cinq. J'ouvre la porte.

De l'autre côté, tout est tranquille. Les Cinq se dirigent vers l'escalier en glissant comme des ombres. Malgré toutes leurs précautions, quelques lattes craquent sous leur

poids. Enfin, ils arrivent sur le grand palier orné de doubles rideaux de velours.

Juste au moment où Mick s'apprête à poser le pied sur la première marche de l'escalier qui conduit au rez-de-chaussée, il écrase quelque chose de doux qui miaule affreusement et lui griffe le mollet... Le garçon tombe de tout son long, provoquant un grand vacarme... Dagobert ne peut se dominer plus longtemps et se met à pourchasser le félin, en aboyant à pleine voix.

Deux hommes apparaissent. L'un d'eux est en pyjama, l'autre porte un blouson de cuir ; à sa main droite brille une grosse chevalière en or. Le premier appuie sur l'interrupteur et se lance aussitôt à la poursuite des quatre enfants. Mick se relève vite, mais s'aperçoit qu'il ne peut pas marcher, car il s'est tordu la cheville.

— Sauve-toi, Claude ! hurle-t-il. Toi aussi, Annie.

Mais les filles s'arrêtent aussi.

Les deux hommes fondent sur leurs compagnons. Ils les attrapent et les enferment dans l'une des chambres du premier étage.

— Dagobert ! appelle leur cousine. Dagobert, au secours !

Mais le chien est occupé à poursuivre le matou. En entendant la voix de sa maîtresse, il se hâte de la rejoindre ; quand il arrive, cette dernière est déjà sous clef avec ses trois cousins.

— Attention au molosse, avertit l'un des inconnus. Il paraît dangereux !

L'animal fonce sur les bandits en montrant ses crocs impressionnants. Il gronde, ses yeux semblent lancer des éclairs. On dirait un fauve prêt à déchirer sa proie.

Les deux individus, pris de panique, se réfugient dans la chambre la plus proche et font claquer la porte au nez de Dago. Celui-ci se jette rageusement contre le battant en aboyant éperdument. Ah ! s'il pouvait croquer l'un de ces gangsters !

*chapitre 21*

# Surprise !

C'est un beau vacarme dans la vieille maison : les quatre enfants manifestent leur détresse en tambourinant contre la porte de leur prison et Dagobert, fou de rage, domine ce tumulte par des aboiements assourdissants... Seuls les bandits réfugiés dans la chambre voisine de celle des jeunes enquêteurs restent muets, mal remis de la peur que le chien vient de leur causer.

Mick s'assied sur un lit. Sa cheville le fait beaucoup souffrir.

— Tout est arrivé par la faute de ce stupide chat, se lamente-t-il. Sans lui, on serait sortis. Il a fallu qu'il se mette dans mes jambes et que je pose le pied dessus ! Quelle

dégringolade dans l'escalier ! Je me suis bel et bien tordu la cheville.

— Tu as dû t'écorcher, en plus : tu saignes, ajoute Annie. Prends ce mouchoir pour t'essuyer.

— C'est le chat qui m'a griffé sauvagement, pour se venger d'être écrasé.

— Reconnais qu'il a dû passer un mauvais moment, lui aussi, ironise François.

— Tu voudrais que je le plaigne ? s'indigne son frère.

— Et maintenant ? l'interrompt la maîtresse de Dago. Qu'est-ce qu'on fait ? Mon chien ne peut pas nous rejoindre, puisqu'on est enfermés à clef...

Ce dernier, enroué à force de hurler, se calme un moment et vient gémir à la porte des enfants. Puis il retourne aboyer furieusement devant celle des bandits, en se jetant contre elle comme s'il voulait la briser.

— Ils doivent être morts de peur, commente Mick. Je suis sûr qu'ils n'oseront même pas tenter de s'échapper par une fenêtre, de crainte de retrouver Dag dehors...

— Tout est de ma faute... murmure sa

cousine. J'ai été vraiment idiote de porter Chouquette dans le jardin cette nuit-là.

— Tu ne pouvais pas savoir. Les hommes guettaient une occasion de s'emparer de Claire et quand ils t'ont vue avec son caniche dans les bras, ils ont pensé que c'était toi qu'ils devaient enlever !

— Ils m'ont jeté une couverture sur la tête pour étouffer mes cris. Je me suis débattue tant que j'ai pu et dans le combat j'ai perdu la ceinture de ma robe de chambre.

— Oui, on l'a trouvée ! Heureusement, on a découvert des indices qui nous ont mis sur la voie, en particulier ton mouchoir, sur lequel il avait été écrit le mot « lumières ».

— Ces sales types m'ont portée jusque dans le bois. Je suffoquais sous ma couverture. Ils m'ont déposée à l'arrière d'une énorme caravane. Alors ils ont entrepris de faire demi-tour sur place. Ce n'était pas simple, à cause de la taille du véhicule. Pendant qu'ils manœuvraient pour y parvenir, j'ai lancé par la portière le mouchoir de ma grand-mère, en espérant que ma bonne étoile vous conduirait jusque-là...

— En tout cas, sans ce bout de tissu, on ne serait pas ici ce soir.

— J'ai entendu le conducteur dire à son complice qu'il fallait me conduire à la fête des Lumières. Alors, je me suis débrouillée pour griffonner ce mot à toute vitesse.

— C'est une chance que tu aies eu un crayon dans ta poche ! fait remarquer Annie.

— Ce n'est pas dans ma poche que j'ai trouvé de quoi écrire, mais dans celle d'un des bandits, qui avait laissé sa veste à l'arrière du camping-car, près de moi.

— Bravo ! la félicite François.

— Ensuite, ils m'ont transportée jusqu'à une foire. Je ne m'en suis rendu compte que le lendemain, quand j'ai entendu la musique des manèges. Dans la caravane où mes ravisseurs m'avaient enfermée, il y avait une femme très désagréable. Et je vous assure qu'elle n'a pas dû apprécier ma compagnie. J'ai fait un de ces tapages. Je me suis mise à hurler et à casser tout ce qui me tombait sous la main... Finalement, j'ai fini par m'endormir tellement j'étais fatiguée...

Ses cousins rient malgré eux.

— Pierre, le forain, a déplacé la caravane pour que ses collègues de la fête ne t'entendent pas crier, explique François. Ensuite, Nivel a dû lui ordonner de te cacher ici.

— Oui. Pour faire le voyage, on m'a probablement donné un somnifère sans que je m'en doute, car je me suis réveillée dans une chambre de cette maison, après avoir dormi longtemps.

— Tu n'as pas dit aux malfaiteurs que tu n'étais pas Claire ? demande Mick.

— Non, répond Claude, gravement. J'ai pensé qu'aussi longtemps que les ravisseurs me prendraient pour Claire, elle ne courrait aucun risque. Quand on est dans le bain...

— Tu es courageuse... complimente Annie. Je suis fière d'avoir une cousine comme toi !

— Oh ! ce n'est rien... articule la jeune fille.

Au fond, elle jubile.

— Mais maintenant, que faire ? questionne François. On a essayé de te délivrer, mais on a échoué. Le résultat de notre ten-

tative, c’est qu’on est tous prisonniers comme toi.

— Tiens, coupe l’adolescente en tendant l’oreille. Dagobert s’est calmé, tout à coup. Qu’est-ce qui se passe ?

Ils écoutent. On n’entend plus ni aboiements ni plaintes. Rien. Le cœur de Claude se serre : les bandits auraient-ils fait du mal à son chien ?

Mais soudain Dago se remet à japper, joyeusement cette fois. Une voix familière résonne de l’autre côté de la paroi :

— Mick ! François ! Annie ! Vous êtes là ?

— Ça alors ! C’est Jo ! s’écrie l’aîné des Cinq, qui n’ose pas en croire ses oreilles.

— On est ici ! Ouvre-nous !

La gitane fait tourner la clef dans la serrure ; son sourire et ses boucles brunes paraissent dans l’entrebâillement de la porte. Dagobert la bouscule pour se lancer sur sa chère maîtresse, qui en tombe assise sur le lit. La bohémienne entre dans la chambre pendant que Mick se glisse au-dehors ; il revient bientôt, l’air satisfait.

— Sauvons-nous ! La voie est libre !

— Attention, nos ennemis vont sortir si Dag ne garde plus leur porte ! s'écrie son frère.

En un éclair, il vient de se rendre compte que les bandits peuvent les enfermer tous là, y compris leur fidèle compagnon...

— Ne t'en fais pas ! J'y ai pensé avant toi, réagit Jo d'un air narquois. Quand j'ai vu votre chien aboyer devant cette chambre, j'ai compris qu'elle devait abriter des gangsters. J'ai donc gentiment tourné dans la serrure la clef restée sur leur porte. Les gendarmes n'ont plus qu'à venir les cueillir !

— S'ils fouillent la maison, ils feront certainement des découvertes intéressantes, ajoute François. L'une des pièces abrite une sorte de laboratoire scientifique. Je commence à comprendre pourquoi Nivel cherche à obtenir les résultats des recherches de Charles Martin... Il veut empêcher ces expériences d'aboutir, car elles mettront en péril son industrie pétrolière !

— Quoi ? questionne Claude. Qu'est-ce que tu veux dire ?

— C'est pourtant simple ! Ton père et son collègue mettent au point une nouvelle énergie, qui permettra aux voitures de rouler sans polluer... c'est-à-dire sans essence !

— Tu as raison ! s'exclame la jeune fille. Vite, il faut sortir d'ici et faire arrêter ce type et ses complices !

Ils se précipitent vers l'escalier.

— Salut les amis ! ironise Jo en passant devant la chambre où les malfaiteurs sont enfermés. On laisse notre chien ici, pour vous garder. Faîtes attention, il est très féroce !

Les jeunes aventuriers – accompagnés, bien entendu, de Dagobert – dévalent les marches quatre à quatre, et traversent la vaste entrée. Mick avance plus lentement, en boitant, car sa cheville le fait encore souffrir.

— Cette fois, on passe par la grande porte ! décide François.

Il la déverrouille.

— Laissons-la ouverte pour les gendarmes, recommande sa sœur.

— Tu as eu raison de faire croire aux

bandits qu'on laissait Dag dans la maison, déclare Claude en se tournant vers la bohémienne. Ils n'oseront sortir ni par la porte ni par la fenêtre, de crainte de le retrouver sur leur chemin !

Ils descendent le perron et s'engagent dans l'allée. Le chien bondit avec allégresse autour d'eux.

— Mais, au fait, Jo, comment tu es venue jusqu'ici ? interroge l'aîné du groupe. On ne voulait pas que tu nous accompagnes...

— Je savais bien que je pourrais vous être utile. Je suis retournée à la *Villa des Mouettes*. J'ai pris le vélo de Claude et je vous ai suivis. Puis je suis passée par la grille que vous aviez laissée ouverte. Rien de plus facile !

— Ha ! fait Mick. Je comprends maintenant pourquoi j'ai eu l'impression d'être surveillé ! Je ne me trompais pas ! Et Dagobert n'a pas bronché parce qu'il te connaît !

La jeune fille s'amuse énormément de l'expression étonnée de ses amis.

— Je ne supporte pas de vous voir courir des risques sans moi, ajoute-t-elle. J'ai

attendu un bon moment dans la cave, espérant vous voir revenir avec votre cousine ; quand j'ai compris que vous aviez des ennuis, je me suis aventurée dans la maison, à votre recherche. Dago m'a entendue. C'est lui qui m'a conduite jusqu'à votre prison !

Tous les cinq arrivent à l'endroit où ils ont posé les V.T.T.

— Il n'y en a que quatre, s'aperçoit Claude. Comment on fait ?

— Jo, tu voyageras sur mon porte-bagages, décide François. Tu te tiendras à moi. Ce ne sera pas très confortable, mais tant pis. D'ailleurs, le trajet n'est pas très long. Laissons la grille ouverte. J'espère que les gendarmes seront fiers de nous !

Ils descendent la colline. Dagobert court à leurs côtés, débordant de joie d'avoir retrouvé Claude...

*chapitre 22*

# Ces enfants sont extraordinaires !

La petite troupe arrive à la *Villa des Mouettes* vers cinq heures et demie du matin. Sylvie, fatiguée de sa journée, a dormi lourdement pendant les premières heures de la nuit, mais, réveillée par un cauchemar, elle s'est levée et s'est aperçue de la disparition des enfants. Prise de panique, elle s'est précipitée vers le téléphone pour appeler la gendarmerie. C'est à cet instant qu'elle entend la joyeuse bande arriver.

— Vous êtes complètement inconscients ! gronde-t-elle quand ils pénètrent dans la maison. Vous auriez pu être séquestrés à votre tour ! Qu'aurais-je dit à vos parents ? Je vous avais pourtant ordonné de prévenir la police de tout nouvel indice, et de laisser les agents faire leur travail !

— Ne nous en veux pas... tente de l'amadouer Annie. Tu vois bien qu'on est sains et saufs.

La cuisinière marque un temps d'arrêt. Elle est tellement soulagée de voir ses petits protégés qu'elle abandonne l'idée de les sermonner.

— Oui, l'important, c'est que vous alliez bien, concède-t-elle enfin avec un sourire. Maintenant, racontez-moi ce qui vous est arrivé !

Ils se mettent à parler tous à la fois. Enfin, Mick réussit à prendre la parole pour faire un récit correct, souvent interrompu d'ailleurs par Jo. Chouquette court de l'un à l'autre, tout comme Dagobert. Quelquefois, elle s'arrête, toute triste, en se souvenant que Claire n'est pas là.

François va ouvrir les volets du salon.

— Le jour se lève déjà, remarque-t-il.

— Alors, ce n'est pas la peine de nous coucher, conclut la gitane, infatigable.

— Je vais vous faire une proposition,

lance Sylvie. Nous allons préparer ensemble un superbe petit déjeuner, pour fêter le retour de Claude. Quand nous l'aurons pris, nous irons nous reposer. Ensuite, je téléphonerai au commissariat.

— Bonne idée ! s'écrie Annie. J'ai envie d'un bon chocolat chaud, avec des œufs, du jambon, du pain et de la confiture !

Vingt minutes plus tard, ils dévorent de grosses tartines et savourent une omelette fondante.

— Maintenant, j'ai sommeil. Mes yeux se ferment tout seuls, déclare enfin Mick, rassasié.

— Moi aussi, renchérit sa cousine, en bâillant ostensiblement.

— Eh bien, mes enfants, allez vous coucher ! propose la cuisinière.

— Oh ! oui... je ne tiens plus debout... murmure François, qui titube de fatigue en montant l'escalier.

Il se laisse tomber sur son lit tout habillé.

Deux minutes plus tard, chacun des enfants dort profondément. Sylvie s'attarde pour donner à manger et à boire à Dago-

bert, qui retrouve son bel appétit en même temps que sa maîtresse.

Quand il a terminé, il court rejoindre cette dernière et saute sur son lit.

Puis la cuisinière va s'allonger avec l'idée de se relever vingt minutes plus tard. Mais elle s'endort à poings fermés, elle aussi. Le temps passe...

Le soleil monte à l'horizon. Vers huit heures, le petit livreur vient déposer sur le perron le journal du matin. Les mouettes tournent en rond dans la baie et lancent leurs appels. Mais personne ne bouge dans la villa.

Un peu plus tard, une voiture s'arrête devant la porte, bientôt suivie d'une autre.

Du premier véhicule descendent oncle Henri, tante Cécile, Charles Martin et sa fille.

Du second sortent l'imposant brigadier et un gendarme.

Claire s'élance vers la porte, et la trouve fermée à clef.

— Il faut sonner ! déclare-t-elle.

Alors, un aboiement frénétique éclate en haut de la maison. Le museau de Chouquette paraît à la fenêtre du second étage. Quand elle voit qu'il s'agit bien de sa maîtresse, elle se jette dans l'escalier et vient gratter à l'entrée.

— Que se passe-t-il ? s'inquiète Mme Dorsel. Où sont-ils tous ? Il est dix heures du matin et rien n'est ouvert ! Ce n'est pas normal !

— J'ai ma clef, dit oncle Henri.

Bientôt le caniche bondit dans les bras de Claire et lui lèche le visage.

Tante Cécile se hâte de pénétrer dans la villa.

Elle crie :

— Sylvie ! François ! Annie ! Mick ! Vous êtes là ?

Personne ne répond. Dagobert l'entend pourtant ; il regarde Claude, qui ne bouge pas. Il décide alors de faire de même. Il n'a aucune envie de la quitter pour aller voir ce qui se passe en bas.

La maîtresse de maison ouvre toutes les pièces du rez-de-chaussée. Personne ! Elle

s'étonne des restes du copieux petit déjeuner, étalés sur la table, et plus encore de la vaisselle sale. À quoi pense donc Sylvie ? Où sont les enfants ?

Elle monte l'escalier, suivie de son mari, de Claire et de Charles Martin. Ils entrent dans la chambre des garçons et voient François et Mick qui dorment profondément sur leur lit.

— Comment ! Ils ne se sont pas déshabillés pour se coucher, et ils ne sont pas encore levés à dix heures du matin ? s'écrie oncle Henri, éberlué. Cécile, va voir chez les filles !

Quelle n'est pas la surprise de la jeune femme d'y trouver Claude, reposant paisiblement ! Elle se jette sur le lit, embrasse sa fille et la serre sur son cœur.

— Ma chérie... Tu es là ? balbutie-t-elle en pleurant de joie.

L'adolescente, arrachée à ses rêves, s'assied et regarde ses parents avec étonnement.

— Vous êtes revenus ! Que je suis contente ! se réjouit-elle.

— Mais comment se fait-il que tu sois ici, alors qu'on nous a avertis que...

— Maman, tu ne connais que la première partie de l'affaire...

Annie, réveillée à son tour, pousse des exclamations qui tirent ses frères de leur sommeil. Ils arrivent bientôt dans la petite chambre à coucher, pleine à craquer. Tout le monde parle en même temps et fait tant de bruit que Sylvie et Jo, à l'étage au-dessus, s'éveillent également. Elles descendent, les yeux gonflés, échevelées. La cuisinière s'excuse, toute confuse. Elle court à la cuisine pour faire du café et, dans sa précipitation, heurte un gendarme dans l'entrée. Elle lâche un cri strident.

— Excusez-nous de vous avoir fait peur, déclare le brigadier. Nous venions au sujet de l'enquête. Avez-vous eu des nouvelles des ravisseurs depuis notre dernière visite ?

— Ah ! ça oui ! réplique la jeune femme. J'allais justement vous téléphoner !

— De quoi s'agit-il ?

— Tout va pour le mieux ! affirme Sylvie, rayonnante. Les enfants sont allés

secourir Claude. Quant aux bandits, ils attendent que vous veniez les cueillir...

— Voyons, que racontez-vous ? Ce n'est pas sérieux ! coupe l'homme, sidéré.

— François ! appelle son interlocutrice. Les gendarmes sont ici ! Explique-leur ce qui est arrivé ! Il vaudrait mieux qu'ils aillent immédiatement arrêter les malfaiteurs, non ?

Tout le monde descend et entre au salon. Jo se montre soudain timide devant tant de monde.

Le brigadier se tourne vers M. Dorsel.

— On vient de nous dire, monsieur, que votre fille a été retrouvée. Il est inadmissible que la gendarmerie soit la dernière informée dans cette affaire.

L'aîné des Cinq se lève et tousse pour s'éclaircir la voix :

— Je vais vous dire ce qui s'est passé.

Il relate les événements de la veille, puis ceux de la nuit. Les policiers le regardent avec un air ahuri.

— Deux types sont enfermés à clef dans une chambre de la maison où Claude était

prisonnière, poursuit Mick. Il s'agit sans doute de Nivel et de Pierre. On a laissé la porte d'entrée et la grille ouvertes. Comme vous le voyez, on a essayé de vous faciliter la tâche. Il ne vous reste plus qu'à arrêter les ravisseurs !

Les hommes restent interdits. Oncle Henri tape sur l'épaule du chef.

— Allons ! lance-t-il. Reprenez vos esprits ! Si vous n'intervenez pas, ces gangsters réussiront à s'échapper !

— Donnez-nous l'adresse de cette vieille bâtisse.

— On ne la connaît pas exactement, explique Annie. Mais c'est facile à trouver. Vous allez jusqu'à Laëron. Ensuite, vous prenez la route de Trédoual, vous continuez jusqu'à Guelrouzé et, après ce village, vous tournez à gauche. C'est la grande bâtisse isolée qui domine la colline.

— Comment avez-vous fait pour... questionne encore le policier.

— C'est trop long à raconter pour l'instant, l'interrompt Mick. On écrira notre histoire dans un livre, dont on vous enverra un

exemplaire. On l'appellera... au fait, vous avez une idée ?

Il se tourne vers ses amis.

— C'est une drôle d'aventure, quand même ! constate-t-il.

— Je crois que nous avons assez discuté, intervient oncle Henri. Allez attraper vos bandits, brigadier !

Les gendarmes se retirent. Charles Martin a l'air heureux. Il n'a d'yeux que pour Claire.

— Tout est bien qui finit bien ! exulte-t-il. Maintenant, je vais pouvoir reprendre ma fille avec moi.

— Oh ! non, papa ! gémit cette dernière, à la grande surprise du savant.

— Que veux-tu dire ? demande-t-il.

— Mon petit papa, sois gentil, laisse-moi ici quelques jours encore, supplie la fillette. Mes nouveaux amis sont... extraordinaires !

M. Martin regarde tante Cécile d'un air interrogateur.

— Elle peut rester chez nous si elle le souhaite, assure la mère de Claude.

— Ouah ! fait Dagobert, tellement fort que tout le monde se retourne vers lui.

— Il dit qu'il est content que Claire prolonge son séjour, car Chouquette demeurera aussi chez nous ! traduit François.

— Tu as vraiment l'intention d'écrire un roman racontant notre aventure ? questionne Annie.

— Bien entendu ! répond Mick. Une nouvelle aventure du Club des Cinq ! Espérons qu'il y en aura encore beaucoup d'autres. Quel sera le titre de ce livre ?

— Je sais ! intervient Claude aussitôt. On l'appellera : *Enlèvement au Club des Cinq* !

***Quel nouveau mystère le Club des Cinq devra-t-il résoudre ?***

***Pour le savoir, regarde vite la page suivante !***

● ● ● ● ● ● ● ● ● ● ● ● ● ● ● ●

## *Claude, Dagobert et les autres sont prêts à mener l'enquête*

*Dans le 16ᵉ tome de la série le Club des Cinq,*
**Le Club des Cinq et la maison hantée**

*Le Club des Cinq campe près d'un ancien site romain. Pas sûr que ce soit l'endroit idéal pour se détendre ! En plus du mystérieux garçon qui y fait des fouilles, les Cinq entendent des cris dans la nuit, qui proviennent d'une inquiétante maison... Le groupe décide d'aller la visiter. Où tout cela va-t-il les mener ?*

# Les as-tu tous lus ?

1. *Le Club des Cinq et le trésor de l'île*

2. *Le Club des Cinq et le passage secret*

3. *Le Club des Cinq contre-attaque*

4. *Le Club des Cinq en vacances*

5. *Le Club des Cinq en péril*

6. *Le Club des Cinq et le cirque de l'Étoile*

7. *Le Club des Cinq en randonnée*

8. *Le Club des Cinq pris au piège*

9. *Le Club des Cinq aux sports d'hiver*

*10. Le Club des Cinq*
*va camper*

*11. Le Club des Cinq*
*au bord de la mer*

*12. Le Club des Cinq*
*et le château de Mauclerc*

*13. Le Club des Cinq*
*joue et gagne*

*14. La locomotive*
*du Club des Cinq*

***Suis***
***le Club des Cinq***
***dans chacune de ses***
***aventures !***

Table

« Pour l'éditeur, le principe est d'utiliser des papiers composés de fibres naturelles, renouvelables, recyclables et fabriquées à partir de bois issus de forêts qui adoptent un système d'aménagement durable. En outre, l'éditeur attend de ses fournisseurs de papier qu'ils s'inscrivent dans une démarche de certification environnementale reconnue. »

[illegible]position MCP - *Groupe Jouve* - 45770 Saran

Imprimé en F[illegible] par Jean-Lamour - Groupe Qualibris
[illegible] légal : juillet 2008
20.20.160[illegible] - ISBN 978-2-01-201600-2
Loi [illegible]56 du 16 juillet 1949
sur les pu[illegible]ns destinées à la jeunesse